JN088127

シーザース

# CXaaS

Customer eXperience as a Service

「攻めのIT活用」を実現する
新しいクラウドサービスモデル

## 寺尾 望

著

SE
SHOEISHA

# 本書内容に関するお問い合わせについて

　このたびは翔泳社の書籍をお買い上げいただき、誠にありがとうございます。弊社では、読者の皆様からのお問い合わせに適切に対応させていただくため、以下のガイドラインへのご協力をお願い致しております。下記項目をお読みいただき、手順に従ってお問い合わせください。

## ●ご質問される前に

　弊社 Web サイトの「正誤表」をご参照ください。これまでに判明した正誤や追加情報を掲載しています。

正誤表　https://www.shoeisha.co.jp/book/errata/

## ●ご質問方法

　弊社Webサイトの「書籍に関するお問い合わせ」をご利用ください。

書籍に関するお問い合わせ　https://www.shoeisha.co.jp/book/qa/

　インターネットをご利用でない場合は、FAX または郵便にて、下記"翔泳社 愛読者サービスセンター"までお問い合わせください。

　電話でのご質問は、お受けしておりません。

## ●回答について

　回答は、ご質問いただいた手段によってご返事申し上げます。ご質問の内容によっては、回答に数日ないしはそれ以上の期間を要する場合があります。

## ●ご質問に際してのご注意

　本書の対象を越えるもの、記述個所を特定されないもの、また読者固有の環境に起因するご質問等にはお答えできませんので、予めご了承ください。

## ●郵便物送付先およびFAX番号

送付先住所　　〒160-0006　東京都新宿区舟町5
FAX 番号　　　03-5362-3818
宛先　　　　　（株）翔泳社 愛読者サービスセンター

# はじめに

## 〜「驚き」のサービスモデル CXaaS 〜

2017年1月にコムデザインで働きはじめたときに感じた「驚き」を言語化したいという思いから、私は本書のアイディアを温め続けていました。本書の中でもたびたび触れることになりますが、コムデザインはB2B向けのITツール『CT-e1/SaaS』を提供するSaaSベンダーです。『CT-e1/SaaS』はCTIとよばれる、主にコールセンターなどで用いられる電話に関するシステムです。

本書の主題はコムデザインや『CT-e1/SaaS』のITツールとしての特長を紹介することではありません。当時感じた「驚き」を論理立てて紐解き、普遍的な価値を抽出することが目的となっています。

「驚き」の理由は、それまでは当たり前だと受け入れていたさまざまなことが、当時のコムデザインには存在しなかったことです。例えば、エンジニアの稼働に対する費用請求、営業的なノルマ、ちょっとした意思決定にも時間がかかる階層的な確認プロセス、社内報告のための資料作成、何をやっているのかいまいちわからない社員、などなどです。当時、会社の規模は大きくありませんでしたが、ユーザーに対して無理な提案をする必要はなく、社内資料作成のような会社のための仕事に煩わされることがない、また社員それぞれが効率的に働く、理想的な会社であると感じました。

当時は、ベンチャー企業の黎明期に見られる、各自の人間性に支えられた、一時的なものであると考えていました。しかし、ビジネスが拡大し組織として成熟するにしたがって、明確に入社当時に感じた「驚き」がサービスの「強み」となり、競争力につながっていることが明らかになっていきます。そして、現在はCTIの分野において国内でもトップクラスの利用者数を誇るサービスへと成長していきました。

その「強み」を表す言葉として私たちが考えたのが、「CXaaS (Customer eXperience as a Service：シーザース)」です。顧客が理想とする利用体験の実現のために、ITツールだけではなく、活用に向けた人的なサポートも含めて、サービスとして提供するという意味を込めて名付けました。

本書のタイトルでもある「CXaaS」は、コムデザインが提供するサービスを示す固有名称ではありません。B2BにおいてITツールを提供するための、新しいサービスモデルを示す一般名詞です。このサービスモデルは、何か特別な才能や背景に支えられたものではありません。言い換えれば、どの企業でも実践できるサービスモデルであると考えています。

本書では、日本企業が抱えるB2BにおけるIT活用の課題やシステムの基礎的な知識をご紹介しながら、課題意識が高まるDXと「CXaaS」がもたらす解決策をご紹介していきます。そして、「CXaaS」が成立する上で重要になる、「驚き」の戦略を紐解きながら、ビジネスとして無理のない、ITベンダーとしての幸福な在り方を探っていきます。その過程で紹介するアイディアが、これからの日本のIT活用と産業の発展に、少しでも良い影響を与えることができるのであれば、この上ない幸甚です。

末筆ではございますが、執筆の経験などない私にこのような機会と多くの助言をいただいた皆さまに、心より感謝申し上げます。


2023年1月　　寺尾 望

# 目次

## 第1章
## システム活用に苦戦する日本企業

---

## 第2章
## クラウドへの移行と障壁

# 第3章
# 理想を実現する「CXaaS」

第4章
「儲けない」ITサービスが儲かる仕組み

## 第5章
## 「CXaaS」誕生まで

---

第**6**章
# 「CXaaS」を可能にする組織運営

## 第7章
## 「CXaaS」への期待

# 第 1 章

# システム活用に苦戦する
# 日本企業

# 1.1 なぜ、現代のビジネスに システム導入が必要なのか

## IT化が求められるのは「楽」になるため

　昨今、業務改革の一環としてIT化、すなわちシステム導入が当然のように言われます。では何のためにこうしたシステム導入を行うのでしょうか？ その目的のほとんどは、仕事を「楽」にすることでしょう。

　「楽」にすると一口で言っても、その方法はさまざまです。これまで人が手作業で行っていた情報の整理や可視化、分析の作業をITの力で自動化することなどは、わかりやすい例ではないでしょうか。

　ビジネスにコンピューターが用いられ始めたのは、1960年代から1970年代にかけてのことです。当時は受発注業務、販売管理、在庫管理、財務会計など基幹業務とよばれる分野での利用を目的としたものが中心で、これらは基幹システムとよばれています。仕入れがどのくらいあり、売り上げがどのくらいあるのか、在庫はどうなのかといった業務に関することを基幹システムに入力しておけば、これまで帳簿で行っていたことが、自動的にアウトプットされるようになったのです。

　2020年代を生きる私たちにとっては当たり前の発想ですが、もし数百名以上が働く企業においてこれらを全て手作業で行っていたら、各部門で管理を目的とした膨大な手間と人手が必要になります。数多くの業務で発生する数字を全て人の手で統合的に管理し、可視化することは大変な仕事だったことでしょう。

　この大変な仕事に対して基幹システムを入れた方が「楽」になるというのが、システム導入の動機だったと思います。

　現在は一定以上の規模であれば、多くの企業で慣れ親しまれている基幹システムの導入によって、これまで非常に大変だった作業の大幅な簡略化が可能になったのです。

## ビジネスの高度化で「楽」にしたい仕事は増えている

　これまで基幹システムを筆頭に、IT化の対象は業務の効率化・省力化が特に求められる会計や販売管理、在庫管理など数字を扱う面倒な分野が中心でした。一方で、高度化し、スピード感が増す現在のビジネスにおいて効率化・省力化が求められる仕事は、どんどん増えています。言い換えれば、会社の活動全てがIT化の対象になっており、それに応じたITツールが提供されています。

　例えば、営業活動についても、IT化が進んでいます。これまでは各個人がバラバラに動き、手作業による日報週報ベースで営業職の活動状況を把握するというのが通例でした。しかし各案件の進捗状況がどうなっているかを、営業職一人ひとりからの報告を聞き取りして管理するには、莫大な時間と手間がかかります。

　このような、営業管理に関わる業務についても、IT化することで楽になります。SFA (Sales Force Automation：セールス・フォース・オートメーション) とよばれる営業支援システムを利用することで、各自の営業状況をリアルタイムで把握し、属人性の高い営業という仕事を、会社全体の資産として活用・継承できるようになります。また昨今は業務プロセスにおける評価に用いられるKPI (Key Performance Indicator) の管理など、ビジネスで扱う情報量は増加する傾向にあり、こうしたITツールは現代のビジネスにおいて欠かせないものになりつつあります。

　他にも営業が商品を売る相手、顧客の管理も、システム化が進んでいます。CRM (Customer Relationship Management：顧客管理システム) は、円滑なカスタマーサポートや新規提案のために、顧客の過去の購入履歴や過去のやり取りを管理し、活用するといったニーズをすくい上げます。

　このように、さまざまな業務をシステム化することで、現代の高度化したビジネスにおいても情報共有が容易になり、統合的に管理することが可能になります。

## 「楽」にするだけではなく、新たな価値を生む

　会計や販売管理、顧客管理などの多くの企業にとって普遍的な業務以外にも、「楽」にしたい仕事はさらに広がっています。

　例えば、私が勤務している会社が提供するCTI (Computer Telephony Integration) とよばれるシステムは、これまで単純な電話交換機ではできなかった情報管理や効率化が可能になります。一日にどのくらいの電話がかかってき

て、お待たせした時間はどうなっているのか、注文の電話は何本なのかといった電話窓口業務に関わる情報が可視化されます。

　また、問い合わせ内容に応じて適切な担当者に電話をつなぐことで業務効率を高めることができるなど、電話相談窓口やコールセンターという専門的な仕事にとって欠かせないシステムとなっています。

　このように、専門性の高い仕事に合わせたシステムがさまざまな分野で登場しています。

### ■「楽」にするだけでは終わらないIT活用の価値

　IT化の対象の幅広さを感じる、ユニークなITツールが名刺管理システムです。名刺の管理は意外に手間で、それぞれが名刺フォルダに分類したり、山積みになっていたりで手に負えなかった人も多いでしょう。一方で名刺管理を仕事として見なしていた企業は多くはなかったはずです。

　そんな名刺管理も、IT化することで、個人レベルの管理から会社レベルの管理に「楽」に移行できるようになります。その結果、名刺情報が持つ価値が見直され、名刺の情報から誰と誰がビジネスを進めているのか、顧客企業のキーパーソンは誰なのか、などビジネス上の人間関係が可視化されるようになるのです。

　注目されない日々の仕事をIT化することで、新しい価値を生み出した好例です。

　多種多様なビジネスにおいて、日々さまざまな課題が見つかります。それらの課題に対して、今後もさまざまなITツールが登場することでしょう。既存の仕事を「楽」にするだけではなく、新たな価値の創出がIT活用に求められています。

## IT化に求められるキーワード

　IT化が仕事を「楽」にしたり新しい価値を創出したりするアプローチとして、大別すると三つの方向性があると思います（図1.1.1）。

　　・自動化　　人手を介することなく作業実行
　　・統合化　　異なる枠組みの仕組み、情報を統合的に管理、活用する
　　・可視化　　整理され、理解しやすい情報として表現する

　自動化はイメージしやすい仕事の効率化の例です。高度化する現代のビジネス

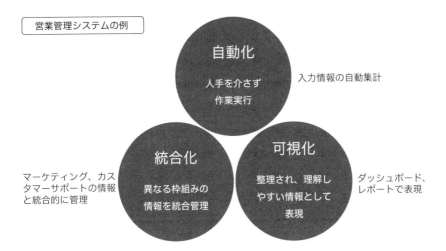

において情報処理の効率化の価値は増大しています。こうした傾向がある中、統合化、可視化もビジネスの効率化と新しい価値の創出の面において大きな貢献が期待されます。

　企業活動の原則の一つに付加価値を高めつつ、効率よく利益を上げるというものがあります。その原則に立てば、IT活用によって日常業務の負担を減らし、日々の仕事をどんどん楽にして、新しいことをやれるようにしよう、やれることを増やそうというのは、企業運営としては自然な姿です。

　システム導入の要求が加速している背景には、IT化と企業の成長が、一体の関係にあることが周知され始めたことが大きいでしょう。

営業管理システムの例

自動化
人手を介さず
作業実行

入力情報の自動集計

統合化
異なる枠組みの
情報を統合管理

マーケティング、カスタマーサポートの情報と統合的に管理

可視化
整理され、理解しやすい情報として表現

ダッシュボード、レポートで表現

●図1.1.1　システム化による恩恵

## ■デバイスの普及により身近になったIT活用

　システム導入の要求が加速している背景には、さまざまなデジタルデバイスの普及によって、IT活用の入り口がより身近になっているという事実もあります。パソコンの登場が非常に印象的だったと思いますが、今ではパソコンだけでなくスマートフォン、タブレット端末とデジタルデバイスの種類も増え、ITソリューションをより手軽に利用できる環境になっています。

　ビジネスとシステム導入の関係は、より密接になり、より重要視されていく傾向は今後も変わらず続くと考えています。

# 1.2 日本企業のIT活用は 大仕事

## IT活用とは業務改革

　ビジネスにおけるシステム導入、IT活用の重要性が十分に認知されていることに異論を唱える方はいないでしょう。しかし、日本国内の一般企業が積極的にシステム導入を進めているかというと、そうは言い切れません。

　IT化による業務の効率化により、最適な人員での運営が可能になり、より創造的な仕事に注力できます。メリットばかりのはずなのに、ニュースや新聞では日本企業のIT活用の遅れを指摘するような論調が見受けられます。

　では、なぜ積極的なシステム導入が進まないのでしょうか？

　その理由の一つとして、システム導入そのものが簡単な仕事ではなく、業務改革をともなう大変な仕事であることが考えられると思います。

　企業に導入されるITツールは、家電のように電源を入れたらすぐに使えるようなものではありません。各企業は独自に進化した業務や組織、文化によって支えられており、その背景を無視して、単純にこのITツールを導入すれば、こんなに楽になりますとはいかないのです。新たなITツールを受け入れるためには、受け入れられるように組織や文化を見直す機会、すなわち業務改革を行う必要が出てきます。メリットは大きいが、システム導入のハードルは高いと言えます。

　本節ではシステム導入担当者に求められる作業や苦労を中心に紹介します。

## 機能要件と非機能要件

　システム導入には要件定義（＝何が必要か？）が必要です。要件定義には大きく分けて次の二つがあります。機能要件と非機能要件です。

・機能要件：クライアントがシステムに実装を求める能力や機能
・非機能要件：セキュリティ性や性能、耐障害性など、システムに求める機能
　　　　　　　以外の要件

　私がシステム導入を提案させていただくときに、非機能要件としてセキュリティや障害対策についてよく質問されます。

　これは、情報システム部のようなシステムに関わるネットワーク設計やITに関するセキュリティなどの知見を持つ担当者が窓口となり、定型的なチェックシートなどを用いて確認いただくことがほとんどです。

　非機能要件については情報システム部の方が必要な要件をよく把握されており、事務的なやり取りで効率よくコミュニケーションを終えることが多いです。

　一方で機能要件は、現場での業務の理解が必要になります。情報システム部の担当者も、各部門の詳細な業務内容やそれにともなうニーズまでは把握していないことが普通です。

　そのため、システムを導入する上では、機能要件についてそのシステムを利用することになる部門、すなわちユーザー部門からシステム導入担当者を立てて検討を行い、機能要件をまとめる必要があります。しかし、ユーザー部門の人たちの多くは、業務知識があっても、ITの専門知識はないことが一般的です。しかも、通常の業務と並行して、システム導入プロジェクトの一環として、機能要件をまとめていくことが求められます。これは、考えただけでも大仕事です。

## 機能要件をまとめるために

　機能要件をまとめるときに、まずは何が必要になるでしょうか。

　システム導入で解決すべき課題と目的を明確にするために、まずは業務全体を把握する必要があります。

　この、業務全体を把握するという作業が実は曲者です。というのも、「言わずもがな」「空気を読む」ことで円滑に業務が回っている企業が実は多かったりします。業務の全体を把握しようとすると、これまで空気感で仕事をしていたような方がいるとすれば非常に苦しむことになります。例えば日常のルーチン作業と化し、さらには属人化していて手順などの詳細が組織的に共有されていない仕事、こうした言語化されていない仕事は、要件をまとめる際に見落としたり、重要度について正確に評価できなかったりします。

### ■改善ポイントの洗い出しと優先順位の策定

　なんとか業務全体を把握したら、次に改善するべきポイントを洗い出していきます。手間がかかる作業、分断された情報、把握できていない情報、など業務改

023

善に向けた課題とニーズを全て洗い出した上で、優先順位をつけていきます。そして、どの要件を優先するかを決める必要があります。

　ここまでやって初めて機能要件の原型が完成します（図1.2.1）。全体を把握するために社員一人ひとりに聞き取りを行ったり、関係者を集めてミーティングを行ったり、地道な準備が必要になるのです。

**課題と目的を明確化する**

現状の業務実態把握をした上で
システム化の目的を明確化する
関係者へのヒアリングや経営層
との折衝などが発生する

**必要な要件を洗い出す**

目的を実現する上で必要な要件を関係者へのヒアリングや検討を通してドキュメントや図でまとめていく

**優先度をつける**

とりまとめた要件に対して
優先度をつけていく

多くの関係者との調整と情報整理のための作業が求められる

● 図1.2.1　機能要件の作成プロセス

## ユーザー企業がITベンダーに仕事を頼むときの苦労

　ユーザー企業の「こういうことがしたい、やりたい」ということをまとめて、ようやくシステム導入に向けて検討すべき内容が明確になっていきます。ここからSIer（System Integrator：システムインテグレーター）やクラウドサービスベンダーなどのシステム提供事業者（ITベンダー）に提案を依頼し、ベンダーを選択するフェーズに移行していきます。このフェーズでも大きな壁が立ちはだかります。

　システム導入の提案依頼に際して、検討に必要な内容をまとめたRFI（Request For Information：情報提供依頼書）やRFP（Request For Proposal：提案依頼書）とよばれるドキュメントを作成の上、依頼することが望ましいとされます。認識の齟齬や必要要件の漏れをなくすために効果的な方法ですが、このドキュメントの作成だけでも大仕事です。そのため、RFIやRFPなどにはまとめきれずに、提案依頼するようなケースも発生します。

　また、課題や目的は把握できたとしても、機能としてどう落とし込むかのイメ

ージがないままに提案依頼することも起こりえます。

　こうした場合に、提案依頼を受けたITベンダーとうまくコミュニケーションがとれないような事態が発生します。提案に際して、ユーザー企業のシステム導入担当者に対して丁寧にアドバイスを行い、一緒に要件定義を進めてもらうのが理想ですが、要件定義の支援作業は範疇外として提案を断られることがあるかもしれません。ユーザー企業のシステム導入担当者としては切実だったとしても、相談を受けたITベンダーからすれば専門外の依頼となり、手に負えない案件であったりするのです。

　このように、はじめはITベンダーに仕事を頼むだけだと考えていると思うような成果を得られず、さまざまなITベンダーから提案を受け続けることも、ユーザー企業のシステム導入担当者にとっては負担となる作業だったりします。

### ■ 欲しいものがわからない苦労

　近年は、ユーザー企業のシステム導入担当者は、まずはインターネットで自分のニーズに合うITツールが何かを調べながら必要要件をまとめることが多くなってきています。しかし、自身の部門特有の課題の解決方法をどのように調べればよいのかわからず、つまずくこともあります。

　例えば、見込みの低い営業案件に営業リソースがとられ続けていることに課題を感じていたとします。その課題を解決する答えが、MA（マーケティングオートメーション）という分野のITツールであると気付かない限り、目当てとするITツールに行き着くまで、すごく時間がかかることがあります。

　このようにユーザー企業のシステム導入担当者が業務改革に向けて課題を整理したとしても、それを解決するITベンダーとのマッチングが容易ではない場合があるのです。

## 社内の改革抵抗派との折衝

　システム導入の提案自体が、社内に受け入れられないことがあります。システム導入のメリットを話しても、今のままでも不満はない、と否定する反応が返って来るのです。

　システム導入には業務改革が必要と書きましたが、今までやってきた業務スタイルを捨てて、導入するシステムに合わせた業務フローに馴染むことができない人たちもいるでしょう。もしかしたら、日本のIT活用を鈍化させているのは、

そういう人たちなのかもしれません。

　また新しいシステムが機能することで、今までは重要なポジションで働いていた人たちの仕事をシステムが奪うことも考えられます。企業として属人化を排除して効率化したい仕事があっても、プライドや地位、やりがいなど個人の思惑はどうしても作用します。

　こういう人たちにシステム導入のメリットを理解してもらい、説得するプロセスは、IT活用においては重要な作業になります。多くの会社では、現状に満足して仕事をしている人たちが多いでしょう。そんな環境で、新しいことを始めることはすごく難しいことなのです。

## 「楽」になる価値の説明の難しさ

　システム導入のメリットを理解してもらうにあたって、わかりやすい方法は定量的な価値を説明することです。しかし、システム導入によって得られる価値を、事前に見積もることは大変に難しい作業となります。

　20万円のシステムを導入すると、もれなく利益は150万円アップしますということであれば、どんな企業でも導入するでしょう。しかしシステム導入のメリットは組織運用と一体となった活用が前提となり、単純な数値としては見えにくいのが実情です。

　例えば、営業管理システムの導入によって営業管理業務の負担を減らし、これまでよりも営業職の稼働状況の可視化と適切なフォロー体制の構築が見込まれているとします。では、その経済的な効果はいくらになるでしょうか？ フェルミ推定のようなアプローチで、それっぽい数字は提示することができるかもしれません。しかし、確実な数字の提示はできないはずです。

　私も自社のITツールの提案を行う中でユーザー企業のシステム導入担当者から、このITツールを導入すればいくらのコスト削減となるのか？ と聞かれる機会が稀にあります。その質問に際して、過去のユーザー事例を説明するのですが、その事例は業務改革とあわせてITツールを導入し、活用した結果であり、必ずしも全ての会社には当てはまらないと感じています。

　ITツールとは、もれなく効果を発揮する魔法の装置ではなく、あくまで業務の一部として活用され、効率化や付加価値を発揮するものです。

　ユーザー部門のシステム導入担当者がシステムの価値を具体的に示しながら反対派や上層部を説得していくことは、難しい作業であると言えます。

# システム導入担当者という貧乏くじ

　以上の点から、システム導入は大変に難しいことがわかると思います。そしてユーザー企業のシステム導入担当者として、システムの詳細な仕様を理解することも、社内調整することも大変な仕事になります（図1.2.2）。

　このシステムを導入すればよくなる「かも」しれないから、というような気軽な気持ちではなかなか手出しできず、その傾向は各部門にとって中核的な業務になればなるほど顕著でしょう。

　このような難しいプロセスを承知の上で、好んでIT化を推進したいと考える従業員がたくさんいるとは考えづらく、やらなくてもいいのであれば、できればやりたくないというのが本音ではないでしょうか。

　一方で、近頃は経営層を中心にDXというキーワードが注目を集め、否応なくIT活用が求められる風潮が強まりつつあるように感じます。

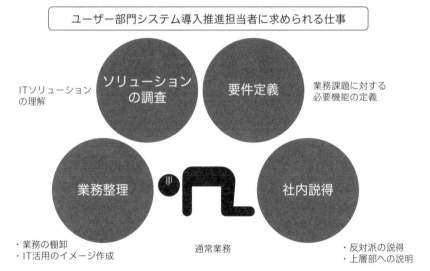

● 図1.2.2　システム導入は作業量が多く、担当者に負担を強いる

# 1.3 「DX」に焦る経営層

## コロナ禍で浮き彫りになった日本企業の対応

DX（デジタルトランスフォーメーション）という言葉はErik Stolterman氏の2004年の論文 "Information Technology and the Good Life" が初出とされています。意外と昔からある言葉ですが、DXが私たち一般人にも認知されるようになったのは、コロナ禍以降であったのではないかと思います。世界的な新型コロナウイルス感染症の流行は、ビジネスシーンにおいても一つのターニングポイントであり、ワークスタイルの変革のタイミングでもありました。今まで、システム導入に消極的であった企業も、必要に迫られてさまざまなシステム導入を検討した時期でもあったのではないでしょうか。

前述の通り、システム導入という仕事は大変です。だからこそ、日本の企業は新規のシステム導入に消極的なだけではなく、変化を避けて既存のシステムをできるだけ継続利用する傾向にあると思います。これまで問題がないのであれば、変える必要がないという考えです。そこにくさびを打ち込んだのがコロナ禍でした。

## コロナ禍というターニングポイント

コロナ禍によるワークスタイルの変化について、最も象徴的だったのはテレワークです。

私の会社が提案するシステムはクラウド型サービスなので、テレワークに適した電話システムです。そんな製品特長を活かした展開を目指し、2017年に「テレワークデイズ」として国家行政機関によるテレワークの推進を目的とした企画があり、その推進企業の募集に対して、弊社も早速登録をしました。当時の目的としては、東京オリンピックの開催を見据えて、観光客の集中による首都圏混雑の緩和のため、テレワークを推進しようというものでありました。

このように、コロナ禍前にも、政府が主導してテレワークを盛り上げようとい

う発想自体はありましたが、実際に私の会社のクライアント企業の中には、真剣にテレワーク運用しようとする企業はなかったように思います。その証拠として、2017年当時に「テレワーク」を検索キーワードとして、私の会社のホームページに訪れる人はなんと0人でしたが、それがコロナ禍以降は年間数千人も訪れていただくようになりました。

　打ち合わせなどでは、コロナ禍以前もテレワークに興味があるような話を聞いていました。しかし、本気でテレワークのためにシステム導入をしようと企業が考え始めるには、政府のプロモーション活動以上の動機付けが必要なのだと実感する出来事でした。

　コロナ禍によるテレワークをきっかけとして、今まで当たり前だった業務が本質的に必要なのかと疑う機会は増えたと思います。当時のニュースの街頭インタビューではハンコを押すために出社、ファクスを確認するために出社などのコメントが流れましたが、何気ない業務に潜む無駄に気付き、またIT活用の必要性を切実に感じることができる機会となったのではないでしょうか。

## 明暗の分かれ道と反動としてのDX

　コロナの影響は、さまざまな分野に及んでいます。コロナ禍以前は、生鮮食品をECで買う人は少数だったと思いますが、コロナ禍によって急速に市場成長したと言えます。また飲食店についてもテイクアウトとスマホアプリを利用したデリバリーサービスが急成長を遂げました。

　このように、コロナ禍は日常業務の変革だけではなく、さまざまな業界のビジネスモデルにも大きく影響し、ビジネスの変化を敏感に掴まえ、変化の波に乗った企業にとっては、大きな成長のチャンスとなったと言えます。

　ここで注目したいのは、テレワークを筆頭にIT活用がポイントとなって、コロナ禍の変革では業務のIT化に有利に働いたことです。言い換えれば、コロナ禍で既存の業務体制から転換ができず停滞しながら2年間を過ごしたのか、それともIT活用によりビジネスとして成長を続けたのかの明暗の差は大きいでしょう。

### ■ コロナ禍がデジタル化の起爆剤

　コロナ禍での経験は、IT活用による業務改革が思うようにいかなかった企業にとっても、その重要性を痛感させる機会だったのではないでしょうか。そして、

今になってDXというキーワードが注目されているのは、やはり現状維持ではいけないのだという反省とその反動が要因の一つとしてあると思います。

　DXというキーワードの流行は日本でも既存システムのアップデートや新たなソリューションの導入に積極的な企業が増え始めた証拠だとも言えるでしょう。

## 「2025年の崖」で迫られるDX

　DXは単なる流行語ではなく、直面する大きな課題に対して求められるものでもあります。「2025年の崖」という言葉をご存じでしょうか。2018年9月、経済産業省は『DXレポート ～ ITシステム「2025年の崖」の克服とDXの本格的な展開～』[*1]を発表しました。2025年までに43万人にも及ぶIT人材が不足、90年代の代表的な基幹システム『SAP ERP（ECC6.0）』の保守期限が2025年に終了、早急なアップデートと業務改善を進めなければ、2025年以降、経済損失は最大12兆円／年に及ぶ可能性があるというものです。これが「2025年の崖」であり、これを回避するために多くの企業が、この30年間、変わることのなかった社内システムの全リプレイスを行わなければなりません。

　非常に面倒なのが、レガシーとして残ってきたシステムの中には、独自に作られたものもあり、作った人たちがすでに退職している場合が多々あることです。大手企業のシステムトラブルがたびたび話題になっていますが、社会的にシステムの果たす役割が重要度を増し、その重要性を経営者はひしひしと感じているのではないでしょうか。

　コロナ禍の経験や「2025年の崖」を踏まえて、今、DXは企業運営にとって切実なテーマの一つとなっています。

＊1　『DXレポート～ITシステム「2025年の崖」の克服とDXの本格的な展開～』経済産業省
https://www.meti.go.jp/shingikai/mono_info_service/digital_transformation/pdf/20180907_03.pdf

# 1.4 DXと、「守り」と「攻め」 のIT活用

## DXでは、IT活用の在り方について変化が求められる

　バズワードとしてDXがよくあがるようになりました。しかし本当の意味で DXとは何でしょうか。意外とみなさん答えられないと思います。DXについて 掘り下げれば、それだけで一冊の本になってしまいますので、本書ではエッセン スのみかいつまんでご紹介しようと思います。

　DXを理解することで、今求められている企業としてのあるべきIT活用が見え てくると考えます。

　DXの意味は経済産業省の他、ガートナーなどいくつかのシンクタンクから定 義されています。経済産業省の『デジタルガバナンス・コード2.0』に記載され ているDXの定義[*2]は次の通りです。

　「企業がビジネス環境の激しい変化に対応し、データとデジタル技術を活用し て、顧客や社会のニーズを基に、製品やサービス、ビジネスモデルを変革すると ともに、業務そのものや、組織、プロセス、企業文化・風土を変革し、競争上の 優位性を確立すること」

　ポイントとしては、単純なデジタル化だけではなく、企業を主体とした変化へ の対応、変革について言及されていることです。ITツールを導入して終わりで はなく、企業の状況や戦略にあわせて常に最善を目指して変化していくことが求 められています。現代の社会情勢の急速な変化、ビジネスのスピードを考慮すれ ば、これからのIT活用の理想の在り方として、DXをキーワードとして検討して いくことは必然ではないでしょうか。

---

*2 『デジタルガバナンス・コード2.0』経済産業省、p. 1
https://www.meti.go.jp/policy/it_policy/investment/dgc/dgc2.pdf

## 「守り」と「攻め」のIT活用

　DXに求められるIT活用について、「守りのIT活用」と「攻めのIT活用」として考えていきます。この二つのIT活用の在り方は、どちらか一方というものではなく、グラデーションのように比重を変えながら共存しています。経済産業省の『DXレポート2（中間取りまとめ）』[*3]ではDX推進に向けた中長期的対応として、変化対応力の高いITシステムの構築とそれにともなうIT活用の変容について触れられています。またガートナーからは、バイモーダルとして二つの異なる性質を持つIT活用の在り方をバランスよく取り入れるべきという考え方が紹介され、注目されています。

　本書では、ユーザー企業のIT活用の在り方は重要なテーマとなります。現在の日本企業において一般的に見られる計画的で予測可能性を重視したIT活用を「守りのIT活用」、そして『DXレポート2』でも必要とされる実践と仮説検証を繰り返すことを前提としたIT活用の在り方を「攻めのIT活用」として定義し、紹介していきます。ITに関する「守り」と「攻め」という表現は、ビジネスにおける投資領域に関する文脈としても用いられています。例えば、「守りのIT投資」は既存ビジネスの維持を目的としたコスト削減や効率化、「攻めのIT活用」は新たな価値創造と市場競争力の獲得を意味します。

　本書では投資領域に関する定義からは切り離し、IT活用において重視する価値観から「守り」と「攻め」を定義します。つまり、「守りのIT投資」においても「攻めのIT活用」はあり得るという考えです。

　本書の「守りのIT活用」「攻めのIT活用」は、図1.4.1の通りです。

　「守りのIT活用」は計画に重きを置いたスタイルであると言えます。言い換えれば慎重さが特徴です。しっかりとした要件定義を行い、ドキュメントに基づいた計画性を重視します。開発、テスト、運用までの上流から下流までを瑕疵なく行うウォーターフォール型のプロジェクト進行となります。

　プロジェクトの進行は中長期的となり、変化には弱く、スピード感としては後述の「攻めのIT活用」と比較して劣ります。また机上で想定可能な仕様については検討可能ですが、想定が難しい仕様については実装が難しいという特徴があります。一方で、確実性が求められるようなシステムの開発には適していると言えます。

---

＊3　『DXレポート2（中間取りまとめ）』経済産業省
https://www.meti.go.jp/press/2020/12/20201228004/20201228004-2.pdf

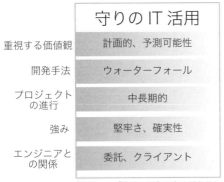
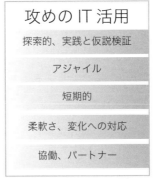

| | 守りのIT活用 | 攻めのIT活用 |
|---|---|---|
| 重視する価値観 | 計画的、予測可能性 | 探索的、実践と仮説検証 |
| 開発手法 | ウォーターフォール | アジャイル |
| プロジェクトの進行 | 中長期的 | 短期的 |
| 強み | 堅牢さ、確実性 | 柔軟さ、変化への対応 |
| エンジニアとの関係 | 委託、クライアント | 協働、パートナー |

「守り」と「攻め」の各要素はどちらか一方ではなく、比重を変えながら共存する

●図1.4.1　守りと攻めのIT活用

「攻めのIT活用」とは、予測可能性を重視した「守りのIT活用」に対して、トライ＆エラーを前提とした仮説検証型のスタイルです。実際に実用最小限のシステムを動かしてみて評価します。「守りのIT活用」が苦手とする想定が難しい仕様について、実際に試してみながら検討できるという強みがあります。都度、開発と修正を行ってシステムを最適化させていくアジャイル型のプロジェクト進行となります。仮説検証のサイクルを短いスパンで繰り返すため、短期的でスピード感のあるプロジェクト進行が期待でき、変化に強いスタイルであると言えます。一方で、「守りのIT活用」と比較して想定外の状況が発生する可能性は高く、確実性に劣ります。

このように「守りのIT活用」「攻めのIT活用」それぞれ状況に応じて向き不向きがあり、システムの性質に応じて使い分けることが望ましいと言えます。

## DXに求められる「攻めのIT活用」

これまでの（もしかしたら現在もそうかもしれませんが）日本企業のIT活用の求めるイメージは「守りのIT活用」ではないでしょうか。日本人の特性として、世界でも特に不確実性を嫌う傾向にあると聞いたことがあります。実際に、私も仕事でシステム導入を提案するにあたって、この傾向を感じる機会が多いです。ユーザー企業のシステム導入担当者の苦労でも言及した要件定義の苦しみは、ある意味「守りのIT活用」が重視する緻密な計画作成が前提となっているからこそ、生じているのではないかとも考えられます。

一方で、経済産業省が定義するDXはどうでしょうか？　継続的な変化、変革が

ポイントとして語られています。このアプローチは「攻めのIT活用」が得意とするものであり、経済産業省のDXレポートでもスモールスタートから迅速に仮説検証のサイクルを繰り返すことの重要性について言及されています。

　ユーザー企業が真の意味でDXを推進するためには、単純に先進的なITツールを導入すれば終わりというものではありません。仮説検証のサイクルによる改善を繰り返しながら、より良い在り方について継続的に追求する「攻めのIT活用」の比重を高めていくことが求められます。そして、「攻めのIT活用」が今よりも一般的になれば、システム導入もスモールスタートが当たり前になり、計画に多くの手間をかけることなく、さまざまな分野において、より気軽にIT活用を検討することができるようになるかもしれません。

# 「攻めのIT活用」に求められるエンジニアとの関係

　「守りのIT活用」と「攻めのIT活用」の差は、単なる開発手法にはとどまりません。ITを活用する上でITエンジニアの存在は不可欠ですが、システムを利用するユーザー部門とシステムを提供するITエンジニアの関係についても注目する必要があります。

　「守りのIT活用」においてユーザー部門とエンジニアは委託関係にあり、クライアント（依頼人）と提供者として、それぞれの責任を明確に区別しながら進めることが求められます。依頼人となるユーザー部門はもれなく要件を提示し、提供者としてのエンジニアは求められた要件に対して仕様を提示し、忠実に実現することが役割となります。

　一方で、「攻めのIT活用」ではユーザー部門、エンジニアがチームとして共に仮説検証のプロセスを継続的に試行していくような関係が求められます。その関係は一時的なものではなく、継続過程において、ユーザー部門の担当者とのコミュニケーションは重要な意味を持ちます。「攻めのIT活用」において、ユーザー部門のニーズを把握した上で、IT活用の専門家の観点から支援できる、よきパートナーとしての役割がエンジニアには求められることになります。

### ■「守りのIT活用」によるノウハウの分断
　「2025年の崖」の課題の一つとして、一度導入されたシステムについて仕様を含むノウハウを把握しているエンジニアの不在があげられていました。このことは、「守りのIT活用」によるユーザー部門とエンジニアの関係を象徴している

出来事であると思われます。ユーザー部門がクライアントとして、提供者としてのエンジニアに依存した関係であったため、ユーザー部門側には開発したシステムに関するノウハウが残っておらず、エンジニアとの関係が途絶えると簡単にノウハウの断絶が発生しうるのです。

それに対して、「攻めのIT活用」によるアプローチではユーザー部門、エンジニアが一つのチームとしてノウハウを蓄積する関係となります。ノウハウを共有しながら、継続的に仕様を変更することで、システムのレガシー化を防止するような効果が期待できるのではないでしょうか。

## 企業戦略、組織にも深く根差したIT活用

DXはエンジニアだけではなく、ユーザー部門にも大きな変化を求めます。それは、積極的なIT化を進める以上の変化です。「攻めのIT活用」のためには、それを可能にする組織や文化が必要であり、それを整備するところから始めなければなりません。

「攻めのIT活用」を可能とする環境は、これまでの日本で見られた「守りのIT活用」に偏ったIT活用文化からの脱却が求められます。経済産業省が発表した『DXレポート〜ITシステム「2025年の崖」の克服とDXの本格的な展開〜』でも日本のDXを阻むのは、日本に根強く残る旧態依然としたIT活用の文化であると指摘しています。

# 1.5 日本企業の特殊なIT事情

## DXを阻むユーザー企業とITベンダーの関係

　DXにおいて、ユーザー部門とエンジニアの関係の重要性は前述の通りです。一方で、日本企業とエンジニアを外部提供するITベンダーの関係が問題視されています。

　日本企業のIT人材の特徴として、海外と比較してIT企業に所属する割合が高い、すなわち内製化が進んでおらず、外部依存の割合が高いという指摘があります[*4]（図1.5.1）。ユーザー部門は自社のエンジニアと共にIT活用を目指すのではなく、外部のITベンダーに頼るような構造が一般化しているのです。

　ユーザー企業のシステム導入担当者の苦労は、社内に気軽に相談できるエンジニアがいないことも要因と言えるかもしれません。

＜IT人材の総数推計＞

| IT人材区分 | 2019年度推計（人） | 構成比（%） |
|---|---|---|
| IT企業IT人材(IT提供側) | 959,000 | 77 |
| ユーザー企業IT人材(IT利用側) | 294,000 | 23 |
| IT人材数合計 | 1,253,000 | 100 |

出典）『IT人材白書2020　今こそDXを加速せよ〜選ばれる"企業"、選べる"人"になる〜』
　　　独立行政法人情報処理推進機構（IPA）社会基盤センター[*4]より作成

● 図1.5.1　ITベンダーに依存する日本のユーザー企業

　また、「2025年の崖」に見られるような既存システムのレガシー化問題も日本のIT人材構造が要因の一つであると、経済産業省のレポート『DXレポート〜ITシステム「2025年の崖」の克服とDXの本格的な展開〜』[*5]では報告されて

---

[*4]　IT人材白書2020　今こそDXを加速せよ〜選ばれる"企業"、選べる"人"になる〜』独立行政法人情報処理推進機構（IPA）社会基盤センター、p. 27
　　　https://www.ipa.go.jp/files/000085255.pdf

います。

　「ユーザ企業とベンダー企業の関係がレガシー化の一因
　我が国では、ユーザ企業よりもベンダー企業の方に IT エンジニアの多くが所属している。ユーザ企業のためにベンダー企業が IT システムを開発し、納入する受託開発構造であるた め、ユーザ企業の内部に情報システムに関するノウハウが蓄積しにくい。」

　指摘としては、日本企業においてはITベンダーがシステムを開発し、納入する受託開発構造であるため、ユーザー企業の内部に情報システムに関するノウハウが蓄積しにくい点、また内製化している場合と比較して、高頻度かつ小規模のメンテナンスを行う形態がとりづらいことにより、ある程度の間隔でまとめてメンテナンスするようになり、結果的にブラックボックス化が起こりやすいことなどがあげられています。この指摘はまさしく「守りのIT活用」の比重が高いことによる弱点とも言えるのではないでしょうか。
　その他に、ITベンダーにおいてユーザー企業に最適化した独自システムの開発をしてきた人材、有識者の引退についても問題とされています。私もシステムを導入する際にユーザー部門の現行のシステムを基に要件をいただくことがありますが、そのユーザー部門独特の要件に対して、よくフィットさせていると感心することがあります。まさに職人芸です。
　ただ、こうしたシステムは、そのITベンダーと関係が切れてしまったり、また当時のエンジニアがいなくなったりすると、ロジックすらもわからなくなり、手がつけられない遺産となってしまうのです。

## 求められ続ける守りのIT的役割とコスト

　日本企業では根強い「守りのIT活用」も、ユーザー企業とITベンダーの関係を前提とすれば仕方ないのかもしれません。ユーザー企業とITベンダーは、言ってしまえばお客さんと業者さんの関係であり、「守りのIT活用」におけるクライアントとしてのユーザー部門と、提供者としてのエンジニアの関係をそのまま当てはめることができます。また、この関係においては予測可能性を重視して計

＊5 『DXレポート〜 ITシステム「2025年の崖」の克服とDXの本格的な展開〜』経済産業省、p. 9
https://www.meti.go.jp/shingikai/mono_info_service/digital_transformation/pdf/20180907_03.pdf

画段階で合意をとることができる、「守りのIT活用」のプロセスの方がトラブルなどで責任問題に発展した場合に、双方にとって安心であるように感じます。

　一方で、予測可能性については、相応の経験と知識が求められるという側面があります。ユーザー部門のシステム導入担当者の苦労は、まさしくこの要求に対してITの知識がないことによって生まれていると考えられます。また裏を返せば、ITベンダーの担当者としてもユーザー部門の業務知識がないのは同じなのです。結果として、一見安心なプロセスに見える「守りのIT活用」についても、実際には完璧な実行が難しく、トラブルのリスクが付いて回っていると言えるのではないでしょうか。それでも、お客さんと業者さんの関係である限り、確実性を求めて「守りのIT活用」の完璧な実行を期待してしまうのです。

　なんとか「守りのIT活用」のプロセスを通して作り上げたシステムでも、運用コストは、実はそれなりに必要となります。日本企業のIT関連予算の80パーセントは、現行システムの維持、運用に割り当てられています。ランザビジネス予算といわれており、既存システムの維持のために多大な予算がかけられているのです（図1.5.2）。反意語としてはバリューアップ予算があり、ビジネスの新しい展開を目的とした予算です。このデータからも、日本企業のDXとは程遠い現状がわかります。

　一方で私自身、ITベンダーであり、自社でのシステム導入などを担当したこともある経験から、怒られたくないITベンダーと、面倒は起こしたくないユーザー部門の気持ちもよく理解できます。この両者の思惑が一致して、「守りのIT活用」、ひいてはシステムのレガシー化問題を生み出しているのではないでしょうか。

図表1-1-28 年度別 売上高別 IT予算配分

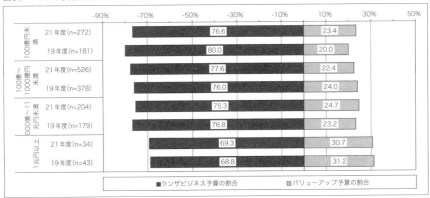

出典）『企業IT動向調査報告書 2022 ユーザー企業のIT投資・活用の最新動向
　　　（2021年度調査）』一般社団法人　日本情報システム・ユーザー協会（JUAS）*6
● 図1.5.2　ランザビジネス予算に偏る日本のIT予算配分

## あるITエンジニアのぼやき

　私の同僚であるベテランのエンジニアと食事をしているときに、当時ニュース
で流れていた大手企業のシステムトラブルの報道が話題にあがりました。一般的
なITベンダーに勤めるエンジニアはディフェンスであり、不遇であるとサッカ
ーに例えてぼやくのを聞いたことがあります。彼曰く、営業であれば、売り上げ
が評価につながり、売れば褒められる。サッカーでいえば、過程はどうであれ、
点を入れれば評価される。一方で、システムはユーザー部門からすれば、トラブ
ルがないことが当たり前なので、トラブルが起きれば責められる。褒められるこ
とは稀なのだ。点を入れられたゴールキーパーが責められるように。

　この話は端的に日本企業が求めているシステムとITベンダーの関係を端的に
表しているのではないでしょうか。

＊6　『企業IT動向調査報告書 2022 ユーザー企業のIT投資・活用の最新動向（2021年度調査）』
　　　一般社団法人　日本情報システム・ユーザー協会（JUAS）、p. 22
https://juas.or.jp/cms/media/2022/04/JUAS_IT2022.pdf

# 1.6　IT産業下請け文化

## 問題視されるIT産業の下請け文化の成り立ち

　日本のIT活用を語る上で、下請け文化についても触れる必要があるでしょう。なぜ日本のシステム業界において下請け文化が育ったのか。これは雇用制度の影響が大きいと思われます。

　海外では、ユーザー企業が直接ITエンジニアと契約することが一般的です。そして、プロジェクトとしてシステムが完成すれば、そこで契約を終了することを選択できます。雇用契約が流動的だからこそ実現できることですが、メリットは雇い主であるユーザー企業だけではなく、ITエンジニアとしても、プロジェクトの参加と完成がステップアップになり、よりよい条件で別の企業での仕事が期待できます。

　一方、日本は終身雇用が基本です。ユーザー企業がIT人材を抱えると、プロジェクトが終わったからといって解雇できません。そこで、ユーザー企業はITエンジニアを自社では抱えずに、必要に応じて外注する仕組みが都合よかったわけです。こうして外注を請け負うITベンダーとユーザー企業の関係ができあがっていきます。

　ITベンダーはITエンジニアを抱えています。しかし、ITベンダーとしても常に仕事があるわけではなく、また専門性が高く汎用的なニーズに乏しい分野のエンジニアとなれば、自社で社員として人員を抱えることは持て余すリスクがつきまといます。すると、必要に応じて仕事を依頼できる先があると都合がよく、自然発生的に多重下請けの構造ができあがっていきました（図1.6.1）。

### ■ 多重下請け構造がもたらす弊害
　雇用に関する慣習が要因として、必要とされて発生した下請け文化ですが、弊害もあります。例えば、一次請けから各企業の利益が確保できるような費用設定が必要となりますので、ユーザー企業からすればIT活用に必要な費用は割高になります。

ITベンダーに依存したIT活用の課題であるブラックボックス化やノウハウの分断は、下請け構造のピラミッドの中でさらに深刻になっていきます。また下請けの構造と上流から下流へと作業を配分していく在り方は、ウォーターフォール型の開発と相性がよく、「守りのIT活用」が日本のIT活用のスタンダードとして定着していった要因の一つでもあると考えられます。

弊害は、日本のIT活用に関する内容だけではなく、日本におけるITエンジニアのやりがいにも影響しています。

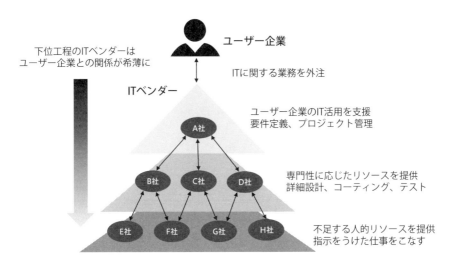

ユーザー企業

下位工程のITベンダーは
ユーザー企業との関係が希薄に

ITに関する業務を外注

ITベンダー

ユーザー企業のIT活用を支援
要件定義、プロジェクト管理

A社

専門性に応じたリソースを提供
詳細設計、コーティング、テスト

B社　C社　D社

不足する人的リソースを提供
指示をうけた仕事をこなす

E社　F社　G社　H社

● 図1.6.1　日本のIT産業の下請け構造

## 新3K職場という言葉から垣間見る待遇

多重下請け構造が一般化した結果、日本のIT産業に関わる人たちの労働環境は、お世辞にも恵まれたものであったとは言えません。IT活用には欠かせないITエンジニアが自分たちの労働環境を「新3K職場」と自虐的に表現することからもうかがい知れます。ITエンジニアの仕事は「帰れない」「きつい」「給料が安い」の3Kなどともいわれますが、実際に日本のプログラマーは欧米のプログラマーと比較して、平均給料が半分ぐらいだといわれています。安い労働力として確保することがIT業界の下請け文化の中では有利に働くためでしょう。

また下請け構造の中では、一次請けからの指示に従って、黙々と作業に従事するような働き方が求められます。下請け構造の常ですが、どうしても上流にある

企業の方が発注者として力が強くなります。時には、下請けにあたる企業に在籍するエンジニアたちからすれば、意見を伝えることもできず、理不尽な要求も耐えながらこなすことが求められる場面も出てくるでしょう。

　こうした状況が常態化していくと、気付けばITエンジニアという仕事はストレスフルで、やりがいを感じられない、きつい仕事になってしまうのです。

## 「作る人」が「使う人」から離れる問題

　下請け構造が「攻めのIT活用」と相性が悪いことは明白です。ユーザー部門とITベンダーの関係から、さらに遠くにシステム開発に従事するエンジニアが位置することとなります（図1.6.2）。伝言ゲームを想像すればわかりやすいですが、遠くの人に意図を伝えることは容易ではありません。コミュニケーションのコストは非常に高くなります。だからこそ、予測可能性を重視し、綿密に計画を立てることを是とする「守りのIT活用」との相性がいいのです。

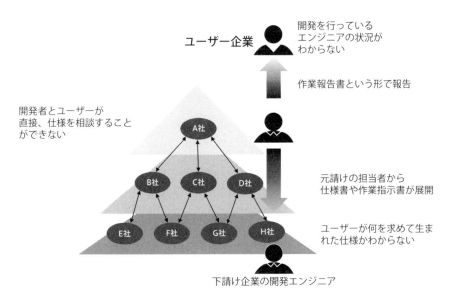

● 図1.6.2　IT産業の下請け構造が引き起こす問題点

　また「守りのIT活用」では計画を立て、プロジェクトを管理することも重要な仕事となります。このことは、下請け構造の上流に位置する企業の役割と見な

され、下請け構造を正当化する効果もあったと考えられます。

　一方で、「攻めのIT活用」は仮説検証のサイクルを短いスパンで繰り返すことが求められ、ユーザー部門とエンジニアのコミュニケーションが頻繁に行われることとなります。つまり、「使う人」と「作る人」のコミュニケーションが重要となるのです。こうなると、下請け構造では成立が難しくなってきます。

　「攻めのIT活用」を目指す企業にとって、IT産業の下請け構造は大きな障害として立ちはだかっています。

システム活用に苦戦する日本企業

# 1.7 真面目な日本企業

## 失われた30年

　ここまでDXというキーワードを中心にお話をさせていただきました。DX必要論の背景には、かつて世界でトップクラスだった日本企業の失速による焦りもあるのではないかと考えています。1989年、世界時価総額ランキングのTOP50社の中には、実に32社の日本企業がランクインしていました。それに対して、本書執筆時点ではトヨタ自動車1社がなんとかランクインしているような状況です。その他にもGDPの成長率が低い、諸外国と比較して平均給与が成長していない、など日本企業にとってネガティブな情報が目立つように感じます。

　「失われた30年」とよばれる世界でも最長レベルの景気低迷に対し、諸外国と比較して、IT活用が進んでいないことによる生産性の低さを原因の一つであると考え、解決を求めることが、現在のDX必要論の過熱を生んでいるように感じます。しかしながら、その思いも空しく、スイスの国際経営開発研究所（IMD）が発表した「世界デジタル競争力ランキング2022」[7]での日本のランクは29位でした。残念ながら、毎年順位を下げながら過去最低となっています。

　このように、IT活用について、課題を抱える日本企業ですが、果たして、かつて世界でもトップクラスだった日本企業の強みも失われてしまったのでしょうか。

## 日本品質と"Kaizen"

　中国を筆頭に諸外国のさまざまな製品の品質の向上は日常でも感じるところでしょう。では、日本製品の品質が劣化しているかといえば、そのようなことはないと思います。現在も家電や自動車、電子製品においてメイドインジャパンにネガティブなイメージはありません。

---

[7] "World Digital Competitiveness Ranking 2022", IMD
https://www.imd.org/centers/world-competitiveness-center/rankings/world-digital-competitiveness/

また日本的な高いクオリティは日常生活でも感じることができます。時間に正確で安全な交通インフラ、日々改良が進む安価で高品質な食品、コンビニ接客などでも感じる高いサービス意識など、真面目な国民性から生み出される価値は、失われた30年間を経ても失われていないと思います。

こういった日本らしい高品質の根底に、改善意識の高さがあると私は考えています。トヨタ自動車で世界的に有名になったQCサークル活動のように、従業員を主体としたボトムアップでの業務改善を行うマネジメント手法は "Kaizen" として、そのまま英単語となっています。この「現場発」のアイディアや取り組みを大切にした改善意識の高さと強みは、業種を問わず今も至る所で垣間見ることができます。

一方でボトムアップによる業務改善がIT活用と一体となって取り組まれているかというと、これまで見てきた通り、そうは言い切れない状況があります。その結果として、日本企業のDXの遅れが生まれているのかもしれません。

## 日本の会社員にとってのDX

日本企業の強みがQCサークル活動のようなボトムアップ型の改善だとすると、DXにおいても、ユーザー部門が果たす役割が大きいでしょう。しかし、中にはDXに前向きでない社員がいると感じられることがあります。

例えば、ユーザー企業のシステム導入担当者として抜擢されることが多い中堅社員の場合、中間管理職としてのマネジメント業務を含む自身の業務をこなしながら、それに加えてシステム導入という新たな業務が追加になると考えれば、および腰になるのは十分に理解できます。中には、人事評価にこのDXに関わる評価が加味されていないような企業もあるのかもしれません。DXに求められるIT活用のための組織、文化の整備が進んでいないことが原因なのでしょう。

これに加えて、やはり日本で主流となっている「守りのIT活用」も要因の一つではないかと思います。「攻めのIT活用」が実践されているのであれば、必然的に中間管理職としてもITツールに触れ、業務に密接な存在として苦手意識を持つことはないでしょう。かたや、既存のシステムについてはブラックボックスと化し、新しいシステムを導入するにしても外部のITベンダーに頼らざるをえない、そして近くには気軽に相談できるようなエンジニアがいないとなれば、IT活用は未知の存在となり、わからないからこそ関わりたくないとして、さらに敬遠されてしまうのではないでしょうか。この結果が、ユーザー企業にIT人材が

いることが一般的な欧米との差として表れていると考えます。

　こうした傾向は、日本の会社員のやる気のなさの結果ではなく、IT活用の文化の差だと思うのです。

## 「攻めのIT活用」と "Kaizen" の融合

　日本はこのままデジタル後進国として、じりじりと衰退していくのでしょうか？ 私は日本において「攻めのIT活用」が一般化することで、他国以上のデジタル先進国となる可能性があると考えています。

　理由は、「攻めのIT活用」と日本が誇る "Kaizen" 文化の親和性の高さです。

　「攻めのIT活用」の仮説検証による探索的なアプローチは、言ってみればIT活用における改善活動にあたります。ボトムアップでの改善活動こそ、日本企業の強みであり、そこに「攻めのIT活用」を落とし込むことができれば、ITと事業が一体となった競争力の獲得、すなわちDXが実現できるのではないでしょうか。

　DXの実現は今までの日本らしさから脱却することではなく、デジタル全盛の時代に日本らしい強みを発揮するために必要な変革なのです。

# 第 2 章

# クラウドへの移行と障壁

# 2.1 オンプレミス型サービスから始まった

## クラウドの対義語「オンプレミス」とは

　DXを目指す上で、現在の日本企業におけるシステムの利用形態を理解する必要があるでしょう。最近ではすっかり定着した「クラウド」という言葉ですが、クラウドが登場するまではオンプレミス型システムが一般的でした。特徴としては下記となります。

- ・ユーザーごとにサーバなどのインフラから用意が必要
- ・セキュリティ性、安定性に優れる
- ・独自のカスタマイズを実現できる
- ・ユーザーごとにインフラ運用することが求められる

　オンプレミス型のシステムは、自社でサーバやアプリケーションを維持管理する方法です。クラウドサービスが登場するまでは、システムといえばオンプレミス型でした。その当時はユーザー企業がシステムを活用しようと思えば、自社でハードからソフトまで全てそろえる必要がありました。

### ■ オンプレミス型が持つメリット

　クラウドが主流になった現在でも、オンプレミス型のシステムがなくなったわけではなく、オンプレミスを前提にシステムを検討するユーザー企業もまだ多くあります。いまだ支持されているのには、それなりの理由があります。

　まずセキュリティ性に優れている点が一番大きいと思います。自社の設備としてサーバを運用しますので、当然、外部からのアクセスを難しくすることが可能です。基本的には、自分の施設の中だけで完結するような仕組みです。そのため、インターネットなどのネットワーク経由で利用するクラウドよりもセキュリティ性は、構造上高くなります。

　安定性にも優れています。クラウドは自社にサーバを置いているわけではあり

ません。クラウドの仕組みを使うためにネットワークに接続します。そのネットワークが不調であれば、システムは使えなくなります。外部へのネットワークを必要とせず設計できるオンプレミス型は、リスクとなるポイントを少なくすることができるため、より安定性を重視した構造が実現できます。

　また自社専用のシステムと言えますので、独自のカスタマイズが可能です。費用と手間さえ気にしなければ、機能要件、非機能要件、どちらも含めて自社の要求を全て満たしたシステムを追求することも可能です。

　このようにメリットも多く、またかつては一般的な形態であったことから、クラウドサービスベンダーである私の会社にも、オンプレミスの発想がベースとなっているRFI、RFPをいただくことがしばしばあります。そこからも、いまだに日本のIT活用にとって根強い存在であることがうかがえます。

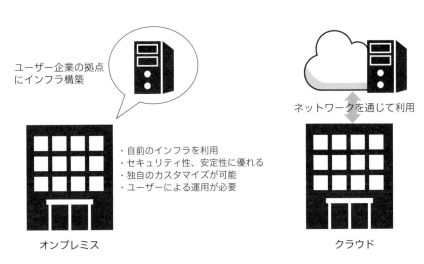

●図2.1.1　オンプレミス型システムとクラウド型システムのイメージ

# 2.2 カスタマイズを好む 日本企業と開発手法の関係

## スクラッチ開発とパッケージ開発とは

　オンプレミス型システムで利用するソフトウェアには、スクラッチ開発とパッケージ開発という二つの代表的なシステム開発手法があります（図2.2.1）。

　スクラッチ開発はゼロから自分たちに合わせたシステムを作ることで大変な手間と費用がかかりますが、要件を満たしたシステムになります。言ってみればフルオーダーメイドでシステムを開発するようなイメージです。できあがるシステムは、当然独自性が強いものとなります。また開発に携わったITベンダー、担当者に強く依存する状態となり、機能の追加を含むメンテナンスは特定のベンダーに依頼することが必要となります。

　このように、スクラッチ開発はユーザーニーズを完全に実現するための最適な方法となりますが、販売管理や会計など多くの企業にとって汎用的な業務について、毎回スクラッチ開発するというのは無駄が多いです。そこで、あらかじめパッケージとして定型的なソフトウェアを提供することが一般的になりました。

| スクラッチ開発 | パッケージ開発 |
|---|---|

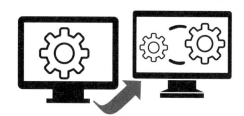

・ゼロからソフトウェアを作り上げる　　・パッケージソフトを基にカスタマイズ
・フルオーダーメイド　　　　　　　　　・セミオーダーメイド

● 図2.2.1　スクラッチ開発とパッケージ開発のイメージ

　しかし、定型的なソフトウェアがそのまま各社の業務にフィットするかというと、そうはいかない場合が多く、パッケージのソフトウェアをベースにカスタマイズする、パッケージ開発といわれるアプローチが生まれました。言うならば、セミオーダーメイドのようなシステム開発です。

## カスタマイズを好む日本企業

　日本企業がそれぞれの業務、組織文化の最適化の結果、競争力を獲得してきたことを振り返れば、システム側をそれに合わせて利用したいと考えることは自然なことだと思います。日本人の改善を好む文化がシステムのカスタマイズ文化を生んだと言えるのかもしれません。

　日本企業の根底にあるボトムアップでの改善活動の結果、独自の組織文化、ワークフローにフィットする形にカスタマイズしたいというニーズは当然ありました。

　例えば、販売管理や生産管理などについて、業種業態によって求められる要件は大きく変わるでしょう。同じ業種であったとしてもそれぞれの企業の業務フローや重視するポイントが微妙に異なることは当然ありえることで、パッケージソフトが全ての企業のニーズを満たすことが難しいことは想像に難くありません。

　また、はじめてのシステム導入にあたり、これまで培ってきた文化を変えてまでパッケージソフトに合わせるという発想が生まれづらかったことも、パッケージソフトでもカスタマイズするという文化の誕生を後押ししたと思われます。

　「2025年の崖」として問題視されるレガシーシステムは、日本企業が競争力の源泉としてきた企業文化とシステムの出会いに際して自然な発想で生まれた個々の企業に最適化されたシステムが、日本が抱えるIT産業の構造的な問題により手を加えられず残っていった結果ではないかと考えられます。そして、今度はその変えることのできないレガシーシステムが企業文化の成長、変化にとってのボトルネックとなり、日本企業の強みを殺してしまっているのではないでしょうか。

## ウォーターフォール開発とアジャイル開発の基礎知識

　第1章では「守りのIT活用」、「攻めのIT活用」の特徴として、それぞれのシステム開発手法についても簡単に紹介しました。ここでは、改めて開発手法とし

てのウォーターフォール開発、アジャイル開発について、もう少し詳しくご説明したいと思います。

## ■ 確実に工程を完了させて進むウォーターフォール開発

まず、「守りのIT活用」で見られるウォーターフォール開発は、「企画」→「設計」→「開発」→「テスト」→「リリース」というプロセスが明確に定められています。企画の段階から計画書を作り、必要な要件や機能が明記されます。次に設計の段階で妥当性が検討され、次の実装の段階ではじめて実際の開発作業が始まります。その後、テストで動作を確認します。

予測可能性を重視する「守りのIT活用」の特徴としてあげられている通り、計画と設計に重きを置くのがウォーターフォール開発と言えます。また名前が示す通り、水が落ちる滝のように上流工程から下流工程に向けた一方向のみの進行となり、工程をスキップしたり入れ替えたりすることはありません。ビジネスにおいて、PDCAはシステム導入に限らずよく用いられるフレームワークです。ウォーターフォール開発ではP（計画）を重視して、できる限り問題を減らし、PDCAの試行回数を減らすことが求められます。

## ■ 修正しながら進んでいくアジャイル開発

一方のアジャイル開発は、機能ごとに設計からテストまでを行います。ウォーターフォール開発では、全ての機能を勘案した計画を基に開発作業が進みます。大きな作業に対する計画を立てて、じっくり完成を目指す手法です。一方でアジャイル開発では大まかな仕様方針や計画を立てたのちに、開発を小さな単位に切り分けて、それぞれの単位で「計画」「設計」「テスト」「リリース」を繰り返すことで進行します。アジャイル（Agile）という言葉が表す通り、小さな作業を素早くこなしながら完成を目指す手法であると言えます。ウォーターフォール開発では重要であったP（計画）よりも、D（実行）に重きを置いて、PDCAを繰り返すことが前提となるのです。

アジャイル開発では、開発を進めながら新しい要件として開発作業を追加することができます。テストの段階で気づいた内容をどんどん反映させ、実際に動かしてみて、チェックするというプロセスを繰り返すのです。結果として、計画段階では仮説として判断が難しい要件などについても、実際に試してみて判断できます。パナソニックの創始者である松下幸之助さんの言葉に「塩の辛さ、砂糖の甘さは学問では理解できない。だが、なめてみればすぐわかる。」というものが

ありますが、頑張って考えるよりもやってみる方がずっと早いということはよくあります。アジャイル開発とは、言ってみれば、「まずやってみる。」をシンプルに実現することで開発作業のスピードアップを図る手法でもあるのです。

　このようにアジャイル開発はウォーターフォール開発と比較して、スピード感のある開発が期待できますが、試行錯誤の過程において予期せぬトラブルを免れないことも事実です。もちろん、試行錯誤の過程において、そのトラブルの要因についても対策しながら進行することになりますが、例えば試行錯誤などとは言っていられない完璧さが求められるようなシステム開発については、ウォーターフォール開発に適性があることは言うまでもありません。

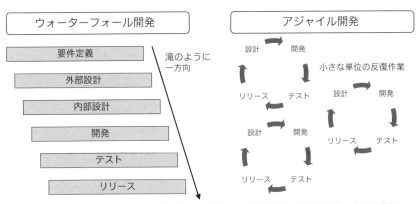

　ウォーターフォール開発

| 要件定義 |
| 外部設計 |
| 内部設計 |
| 開発 |
| テスト |
| リリース |

滝のように一方向

アジャイル開発

小さな単位の反復作業

設計　開発　リリース　テスト

・開発作業全体を上流工程から下流工程に向けて進行
・各工程の完了が確認できなければ次に進まない

・開発作業を小さな単位に分けて進行
・テストと修正を繰り返して進めていく

●図2.2.2　ウォーターフォール開発とアジャイル開発の違い

## オンプレミス型に求められたウォーターフォール開発

　これまでの日本企業にとって「守りのIT活用」、ひいてはウォーターフォール型のシステム開発が慣れ親しまれていた背景として、オンプレミス型のシステム運用が一般的であったことも理由として考えられます。つまり、システム開発とはソフトウェアだけではなく、サーバなどハードウェアに関する設計を含んだ作業でありました。モノを扱うことが求められるのであれば、試行錯誤だからといってコロコロと仕様が変わるのは、ハードウェアの仕入れや現場の作業担当者の負担を鑑みれば現実的とは言えません。結果として、ウォーターフォール開発がいわばシステム開発の常識と化していったのでした。

一方、アジャイル開発はソフトウェア開発の文化から生まれた開発方法です。ソフトウェア開発において、必要なものは究極的にはエンジニアの技術力だけとなります。材料の仕入れなどの費用を気にすることなく、エンジニアさえいれば、不具合を見つけては修正し、新しい機能が求められれば追加することができます。後から何かを変更することが、モノを扱う開発と比較して、ハードルが低いことから生まれた発想と言えるでしょう。

　このソフトウェアが持つ変化に柔軟であるという特徴はビジネスの世界だけではなく、日常生活で一般的に用いられるアプリケーションでも、アップデートとして継続的に改善していくことが常識になっていることからもうかがえます。

## ウォーターフォール開発に求められたプロフェッショナル

　オンプレミス型のシステム運用が主流であった日本企業にとって、ハードウェア、ソフトウェア双方に精通し、ウォーターフォール開発とそれに最適化したベンダーへのニーズは高まっていきます。そこにIT産業の下請け文化が加わり、各工程の分業化が加わります。システム開発のプロセスの上流に位置し、ユーザー企業とのコミュニケーションを行うITベンダーには、実際に手を動かして開発する能力よりも、幅広いIT知識を基にした提案力と、プロジェクトを統括する役割が主要な価値として求められるようになっていきました。

　こうして実際にコードを書き、ソフトウェアを開発することよりも、複数の企業が関わる巨大なチームをコントロールしながらシステム開発を遂行する、プロジェクトマネジメントのプロフェッショナルとしてのITベンダー像が形作られていきます。

　一方で、こういったプロフェッショナルに任せておけば完璧なシステム開発のプロジェクト進行が実現できるかというと、そうはいかないことも多いようです。システム開発において、当初予算との乖離や、工期の遅れ、出来上がったシステムの品質への不満などはよくあるユーザー企業とITベンダーとのトラブルでしょう。この現象は、ウォーターフォール開発の難しさを象徴しているように思います。つまり、計画の段階で齟齬なく要件を定義し、仕様をまとめるという作業は非常に高度であり、特にITに関する知識が乏しいユーザー企業と利用される業務知識に欠けるITベンダーの組み合わせにおいて、ドキュメントと机上での議論のみで齟齬なく認識を共有することは非常に困難であると言えます。

# 2.3 ウォーターフォール開発とオンプレミス型システムの課題

## 請負契約と準委任契約とは

　ウォーターフォール開発が根強く残る背景を理解するためには、システム開発においてユーザー企業とITベンダーの間でどのような契約が交わされることになるかについても知るとよいかもしれません。

　システム開発をITベンダーに外注する場合、契約の種類には請負契約と準委任契約があります。

　請負契約は、成果を設定した上で取り交わす契約です。つまり、要件を決めて、この要件を満たすシステムを作ってくださいと発注します。システムが出来上がれば、報酬が支払われます。

　準委任契約は、仕事を設定した上で取り交わす契約です。例えばプログラマーを3人派遣してもらい、システムを作ってもらいます。その期間の人件費を払うような契約です。

### ■ 請負契約と準委任契約の特徴と課題

　ユーザー企業にとって、明確に作ってほしいシステムを設定できるのであれば、請負契約の方がトラブルは少ないと考えられます。言ってみれば、モノを買うように成果と費用の関係が明らかだからです。一方で何を作ってもらうのか明確でなければ、ユーザー企業は発注できません。また発注が完了しなければ、ITベンダー側もシステム開発に関わるエンジニアを動かすことはできません。このような状況を想定すると、あらかじめしっかりとした要件と仕様を細かく定義した上で開発作業を開始するウォーターフォール開発は、請負契約と相性が良いと言えるでしょう。

　一方で、システム開発において、明確に何が欲しいかわかっていない、またはうまく伝えられないことが発生することがありえます。「攻めのIT活用」のように求められる要件が流動的で柔軟性が求められる場合、請負契約は向かず、準委任契約での対応を検討することになります。

必要に応じて都度作業を依頼できる準委任契約ですが、課題もあります。IT ベンダーからすると、長く契約してもらうことが利益となります。この場合、本来であればより早く完成を目指せる要件についても、できるだけ引き延ばして対応することが有利になります。一方でユーザー企業からすると効率的に働いてもらうことが理想的ですが、専門分野外のIT エンジニアの作業効率を正しく評価し、マネジメントすることが非常に難しいことは言うまでもありません。準委任契約は、派遣されたIT エンジニアをうまくコントロールができないリスクをはらんでいると言えます。

　このようにIT ベンダーとの関係において、請負契約と準委任契約の二者択一を迫られたとき、できれば契約段階で合意がとれる請負契約を選びたいというのは自然な判断ではないでしょうか。そして、IT ベンダーとの契約が前提となっている日本のユーザー企業にとって、請負契約と相性の良いウォーターフォール開発が常識として定着していることも自然なことなのかもしれません。

請負契約

成果に対する契約

（例）会計システムの開発を依頼
　　　完成品の検収をもって契約完了

準委任契約

仕事に対する契約

（例）会計システムの開発作業を依頼
　　　完成は問われない

● 図2.3.1　請負契約と準委任契約

## システム開発の費用の落とし穴

　システム導入や開発において、トラブルの主要な原因として「お金」があると思います。過去取り組んでいたシステム導入のプロジェクトが進むにつれて、次々に新しい見積もりが出てきたなどのお話は、私自身さまざまなユーザーから耳にします。ハードウェアであればモノの仕入れのために原価が発生することはイメージしやすいですが、ソフトウェア開発の値付けはユーザー企業の担当者にとっ

て想像しづらいのではないでしょうか。

　ITベンダーに外注する場合の値付けとしてよく用いられるのは、エンジニアが何人、どれくらいの時間働くかで決まる人月契約です。3人が1カ月働くのであれば、3人月という計算をします。

　例えば、ユーザー企業が希望するシステムに対して、3人がかかりきりで1月かかる見込みであれば、3人月として費用算出します。想定される作業量に対して見積もりをするので、開発着手後に、新たな要件が発生すれば当然追加の人月が必要になってきます。またウォーターフォール開発では上位工程に立ち返った上での対応が求められますので、単純な追加作業以上に人も時間も必要となり、人月のコストは大幅に上乗せされていきます。

　こうしてユーザー企業担当者の感覚からすると、ちょっとした追加依頼によって納期は大幅に遅れ、想定以上の予算超過が発生する要因となります。結果として、うまく進行しないウォーターフォール開発はユーザー企業からすれば不当に感じる価格超過と遅延を感じ、ITベンダーからするとユーザー企業との対立を深める要因にもなり得るのです。

## ユーザー企業とITベンダーとの「情報の非対称性」

　IT産業におけるユーザー企業とITベンダーの関係の特徴に情報の非対称性があげられます。ユーザー企業はITの専門家ではないため、例えばITベンダーから提示される価格やプロジェクトの状況、機能に関する説明などが妥当であるかの判断が難しいと言えます。この関係はプリンシパル＝エージェント関係ともいわれますが、例えば法律の専門家である弁護士とその依頼人の関係などを想像するとわかりやすいかもしれません。相談した事柄に対して、代理人である弁護士の適正な働きを期待しますが、そもそも弁護士として必要な情報を全て開示した上で、真摯な提案をしてくれているかは依頼人が明確に判断することができません。

　同じように、ユーザー企業からすれば契約前に定義されるべき要件が全て網羅されているのか、提示されている条件で契約を締結すれば問題なくシステム導入のプロジェクトが進行するのかは判断が難しいと言えます。ITベンダーがあえて自分たちに不利に働く要件を定義せずに契約を交わして、その後に契約を盾に正統性を訴えるということも、情報の非対称性がある状況では可能になってしまうのです。

この状況を完全に防ごうとすると、今度はITベンダーの監視や評価の体制を強固に築く必要が出てきます。そうなれば、そのためのコストは莫大になりエージェンシー・スラックとよばれる無駄が発生し、これもまた本末転倒となってしまうのです。

●図2.3.2　プリンシパル＝エージェント関係のイメージ

## オンプレミス型システムは長期的に見て本当に安いのか？

　オンプレミス型システムは現在も多く見られます。その利点の一つとして、一度導入してしまえばコストが抑えられるという意見があります。単純なハードウェアの調達だけ考えれば、指摘は妥当だと言えますが、システムの価格を評価する上でTCO（Total Cost of Ownership）について考える必要があります。TCOとは、単純なシステム調達の費用だけではなく、導入や維持、管理に関する費用も含めたコストの考え方です。

　例えば、システムを導入した後も安心して利用し続けるためのサポートを求める場合、保守費用が発生します。よくクラウド型システムと比較してランニングコストの優位性があげられますが、多くのユーザーがシステムの開発にかかったお金の大体15パーセントを年間の保守費用として支払っています。またオンプレミス型システムの性質上、ユーザー企業にエンジニアが駆けつけての作業が必要となるため、導入後に何か作業が必要となった場合、思わぬ出費が発生することもあります。

　そして、システムの更新も定期的に発生します。オンプレミス型システムとはいえ、一度導入してしまえば永遠にそのまま動かし続けるわけではありません。

むしろ、安定した稼働のためにはシステムに関する周辺環境の変化にあわせて大体5年、長くても10年ごとに更新が必要になります。このように、一度導入してしまえば安くあがるようなイメージを持たれがちなオンプレミス型システムですが、TCOを考慮すると実はデメリットが多いのです。

### ▌規模の経済性の恩恵を受けられないオンプレミス

オンプレミス型システムが割高になる理由の一つに、オンプレミス型システムには規模の経済性が働きづらいことがあげられます。規模の経済性とは一定の条件下で生産量や生産規模を高めることで、単位あたりのコストを下げる効果のことを指します。大量生産によって、価格が安くなっていくことはイメージしやすいのではないでしょうか。

一方で、オンプレミス型システムでは、ユーザーごとにハードウェアを用意し、場合によってはユーザーに合わせたソフトウェア開発が求められます。このように、規模の経済性による価格低下は期待できません。

## BCPに注目が集まり、クラウド型への移行が進行

このようにコスト面で課題のあるオンプレミス型システムですが、従来慣れ親しまれたシステムの在り方であること、またカスタマイズを好む日本企業のニーズに対応しやすいなどの利点から、クラウド型システムが注目されつつある中でも根強い支持がありました。

しかし、現在に続くクラウド化の流れを決定付ける契機が起こります。2011年3月11日の東日本大震災です。この未曽有の大災害をきっかけとして、BCP（Business Continuity Plan：事業継続計画）の観点から、真剣にオンプレミス型を見直す動きが本格化していったと思います。地震のときに会社に入れない、システムが外から使えないといった出来事を実際に経験したことで、オンプレミス型システムに頼ったシステム運用の課題に多くの企業が気づき、これまでは検討にとどまっていたクラウド型システムの利用が本格的に進んでいったのです。コロナ禍におけるテレワークと同じ構図です。

# 2.4 クラウドサービスの活用によるメリット

## B2Bで見られるクラウドサービス類型：IaaS, PaaS, SaaS

　各企業でサーバなどのインフラを用意し、システムを運用するオンプレミス型から、サービスとして運用されているインフラ、システムをネットワーク経由で利用するクラウド型サービスへの移行が進んでいます。

　すでに一般化しつつありますが、クラウドとして提供されるサービスは、SaaS（Software as a Service）、PaaS（Platform as a Service）、IaaS（Infrastructure as a Service）の3種類に分けられます。

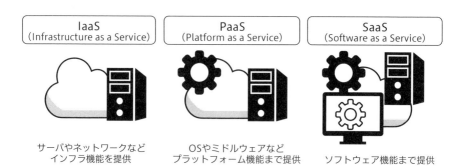

IaaS
(Infrastructure as a Service)
サーバやネットワークなど
インフラ機能を提供

PaaS
(Platform as a Service)
OSやミドルウェアなど
プラットフォーム機能まで提供

SaaS
(Software as a Service)
ソフトウェア機能まで提供

●図2.4.1　IaaS、PaaS、SaaSの比較イメージ

　SaaSは実際にユーザーが利用するソフトウェアまでクラウドとして提供します。ユーザーは提供されるソフトウェアを、ネットワークを通じて利用することになります。ビジネス向けクラウドサービスで一般的にイメージされるのはSaaSではないでしょうか。

　PaaSはミドルウェアやOSまで提供し、利用するソフトウェアはユーザーが用意します。ソフトウェアを開発したり、動作させたりするためのプラットフォームとして求められる内容はサービスとして提供されているため、環境整備の手間が不要となります。

IaaSはネットワークやサーバなどのインフラのみを提供するサービスで、環境整備からシステムを構築して運用するまでに必要な作業は利用者が行います。

どのサービスを利用するかは目的によって異なります。IaaSが最も自由度がありますが、利用者に求められる内容は多くなります。一方でSaaSは利用するソフトウェアまで用意されているので、簡単に利用できますが、用意されたソフトウェアが提供している機能の範囲での利用となるため、自由度は低いと言えるでしょう。SaaS、PaaS、IaaSを要件に合わせて選択する必要があります。

## インフラの構築、運用からの解放

システム運用においてクラウド型サービスを利用するメリットの一つとして、ハードウェアの保守運用の負担がなくなることがあります。

オンプレミス型のシステムをクラウド型に置き換えると、これまではユーザー企業ごとに管理が求められていたインフラやソフトウェアが、サービスとして保守運用まで含めて提供されることになります。つまり、単純にインフラやプラットフォーム、ソフトウェアがネットワークを通して利用できるようになるだけではなく、これまでのIT活用での重要事であったハードウェアの保守運用がユーザーの手から離れることは画期的であると言えるでしょう。

ただし、クラウドサービスを利用するには、ネットワーク環境が重要になります。もしネットワークが不通になれば、サービスにアクセスできなくなります。つまり、いかに安定したネットワーク環境を構築するかが重要です。

クラウドサービスを利用することでユーザー企業ごとのシステムに付随するインフラ運用からは解放されますが、ネットワーク環境の重要度はむしろ増していると言えるかもしれません。

## 非機能要件への対応が楽

システム構築には、機能要件とは別に非機能要件があります。ユーザーが求める機能以外の要件のことで、例えばシステムの継続的な稼働を示す可用性やセキュリティ、処理時間や負荷に対する性能などです。非機能要件については、ハードウェアも深く関係します。例えば目標とする可用性を実現するために、バックアップの機器を用意して冗長化を図り、サーバが故障した際に素早く復旧させるための手順を策定するなどの備えが必要です。またオンプレミス型の場合は、ハ

ードウェアの用意のみならず、運用も含めて各ユーザー企業がそれぞれ検討する必要がありました。

　それに対して、クラウドサービスを利用する場合、クラウドサービスとして非機能要件に関する対応はすでに考慮されて提供されていることがほとんどです。ユーザー企業は、数あるサービスを比較しながら、自分たちに合ったサービスを選択するだけで非機能要件を満たせるようになります。ユーザーからすれば、非常に楽にシステムが利用できるようになったと言えます。

　また、かつては物理的に外部との接続を遮断して運用できるオンプレミス型システムの方がセキュリティ性を高く保てるという見方もありましたが、現在はセキュリティモデルの発達により、より安全にクラウドサービスを利用できるようになっています。

## BCP意識の高まりからのクラウドサービスの採用

　BCP対策としてのクラウドサービスのニーズは、継続して伸びています。東日本大震災以降、災害時に事業をどのように継続するかを考えることが一般的になっていきました。この傾向は現代のビジネスを支えるシステムへの要求としても顕著です。これまでは、地震や気象災害などを想定して、インフラを運用しているデータセンターそのものの耐障害性や拠点の分散化などへの関心が特に高まっていたと思います。それに対して、コロナ禍は新しい方向性での対応が求められました。テレワークなどオフィスにこだわらないワークスタイルを実現できることが事業継続性を高めるための要件となったのです。

　いずれのケースにおいても、オンプレミス型のシステムと比較して、クラウドサービスの方が有利であったことは言うまでもありません。

　不測の事態において事業が継続されるシステム構築を考えた場合、ロケーションが限定され、ユーザーごとの対策が求められるオンプレミス型よりも、ネットワークを経由すれば利用できて、サービスとして対策を講じられるクラウドサービスの方が有利であると言えます。

## 規模の経済性によりコスト面で優位

　クラウドサービスはオンプレミス型よりも低コストという印象を持つ人は多いのではないでしょうか。単純に考えれば、ハードウェアの購入が不要で、運用体

制を用意する必要もないといった直接の負担がないことも理由ではありますが、これらをクラウドサービス側でまとめて用意することで、規模の経済性によるコスト削減が実現できることが低コスト実現の背景にあります。

　アマゾンが提供するクラウドサービスAWSでは、同社のWebページ[1]でスケールメリットによる維持コストの低下について言及され、継続的に値下げしたことに関するアナウンスがされています。

　オンプレミス型システムのように、ユーザー企業ごとにサーバを数台だけ用意して運用するだけではコスト削減の余地は小さいものになります。むしろ、そのユーザー専用の対応をとるためにコストは割高になるでしょう。それに対して、クラウドサービスでは、複数のユーザー企業にサービスを提供するために、たくさんのサーバを用意し、まとめて運用することになります。大口での発注となればサーバ調達のコストもディスカウントされるでしょうし、運用体制も集約することができるので効率を高めることができます。

　例えば、クラウドサービスとして1,000台のサーバを運用しており、ユーザー企業が一つ増えて、サーバの追加が必要になったとします。1,001台のサーバが稼働する状況になったとしても運用上大きな変化はないはずです。結果として、ユーザー企業に求めるコストは小さなもので済みます。

　一方で、オンプレミス型システムの導入を望むユーザー企業が一つ増えたとするとどうでしょうか？ ユーザー企業の拠点へのサーバ設置、保守運用体制の確認など段取りするべきことは多く、相応のコストが必要となることは想像に難くありません。

　クラウドサービスの良さには、これまでオンプレミス型システムでは実現できなかった規模の経済性を反映できるコスト優位性があると言えます。

＊1　『AWSのクラウドが選ばれる10の理由』Amazon Web Services、「理由2 継続的な値下げ」
https://aws.amazon.com/jp/aws-ten-reasons/

# 2.5 盛り上がるSaaS

## SaaSにも見られる規模の経済性

　システム運用において、クラウドサービスはオンプレミス型システムと比較して保守運用の手間から解放され、非機能要件に関する設計の必要がなくなり、コストも抑えて利用できるというメリットがあります。クラウドによってより手軽にシステム、ITを利用できる環境になりつつあるのです。中でもSaaSに注目が集まっています。

　クラウドといえばSaaSを真っ先に想像される方も多いのではないでしょうか。ソフトウェアまで提供することから、サービスとして提供する内容が具体的であり、また最も手軽に利用できることから触れる機会が多いことも広く普及している要因だと思います。

　規模の経済性というキーワードでクラウドサービスが低コストで提供できる背景についてご紹介しましたが、ソフトウェアについてもこの傾向は同じです。ユーザー企業ごとにソフトウェアを開発するのではなく、多くのユーザーで利用されることを前提に開発し、より安価に提供することができるのです。この発想はオンプレミス型システムで利用されているパッケージソフトに近いものであると言えます。

## 手軽に導入できるSaaS

　SaaSの利用は、これまでユーザー企業にとって大変な手間であったシステム導入を大幅に簡略化することが期待されます。

　例えば、パッケージソフトを利用する場合も、オンプレミス型システムであれば、まずはサーバなどのインフラ環境を用意し、OSなどソフトウェアを利用できるようにする環境整備が必要になります。その上で、パッケージソフトがようやく利用できるようになるのです。それに対して、SaaSは推奨されるネットワーク環境さえ用意すれば使えます。

　この差は大きく、各企業でシステムの利用環境を用意することが求められるのであれば、専門的な知識を持つITベンダーの支援が重要でした。それに対してSaaSの場合、究極的にはネットワーク環境さえ用意するだけでよく、ユーザー企業が主体となって導入するシステムを検討することができます。このことにより、「作って使う」という考え方のオンプレミス型に比べると、「選んで使う」という発想でシステム導入を検討できるようになってきています。

## サブスク型の費用体系で、継続性を重視したサービスモデル

　SaaSを筆頭としたクラウドサービスの費用体系も特徴であると言えます。クラウドサービスではサブスクリプション型という、利用期間に対して費用を設定することが一般的です。サブスクと略されることもありますが、利用期間中は定額の利用料が発生します。サブスクの他、従量課金制を採用するサービスも中にはありますが、いずれにせよ大きな初期投資を必要とせず、利用可能な価格設定がなされていることが多いです。

　一方で、オンプレミス型システムを想定すると、ハードウェアを購入し、システム導入に関する費用も請負契約として発生した場合、導入が完了した時点での費用は高額となります。会計上は資産として計上し、償却していくこともできますが、このような買い切り型の費用発生はユーザー企業にとって負担が大きいと言えるでしょう。

　それに対して、クラウドサービスでは月額費用として費用請求がされます。契約期間の設定がされている場合もありますが、数年利用することを前提とした投資判断が求められるオンプレミス型のシステム導入と比較して、導入判断がしやすい金額になります。また、問題があれば利用をやめるという判断も可能であるため、ユーザー企業にとってシステム導入のリスクが下がり、検討のハードルは低くなります。

　またオンプレミス型は5年〜10年ごとに、インフラの老朽化やシステム環境の変化への対応としてリプレイスが必要となり、定期的にシステム更改を目的としたプロジェクトが発生します。粘って長く使ったとしても「2025年の崖」に見られるような重大な課題に直面します。それに対して、SaaSの場合は、提供するITベンダーがインフラ、ソフトウェアを含むシステムを運用するので、ユーザー企業は提供されるSaaSに不満がなければ更改を検討する必要はありません。サービスとして存在する限りは、継続して利用できるのです。

また、SaaSを提供するITベンダーとしても、ユーザーに継続して利用してもらうことが重要となります。だからこそ、継続的にアップデートを行いより魅力的なサービスであるように努力することが自然です。

　このように、SaaSが持つ費用体系とサービスとしてシステムを提供する性質により、ユーザー企業からすると面倒なリプレイスから解放され、また継続的なアップデートによる利便性の向上の恩恵を受けることが期待できます。

| 買い切り型 | サブスクリプション型 |
|---|---|
| ・都度、費用を請求<br>・支払いに対して所有権を提供<br>・初期投資が高額になる傾向 | ・契約期間中、継続的に費用を請求<br>・支払いに対してサービスを提供<br>・初期投資の負担が少ない傾向 |

1か月目　2か月目　3か月目

● 図2.5.1　買い切り型とサブスクリプション型の費用体系

## ITベンダーにとってもメリットが多いSaaS

　SaaSはユーザー側だけではなく、提供する側にもメリットが多いサービスであると言えます。

　システム導入はユーザーにとって手間であるだけではなく、システムを提供するITベンダーにとっても、素晴らしいソフトウェアを開発したとしても、実際に利用されるまでには多大な労力が求められ、提供可能な件数が限られる結果、ビジネスとして拡大しづらいという課題がありました。

　それに対して、SaaSであれば多くのユーザーに同一のサービスを同時に提供できます。また、オンプレミス型システムの場合は、ユーザー企業の拠点まで出向いた作業が求められ、運用保守の体制を構築するために営業所や各地での人員確保が必要となります。自前での体制確保が難しい場合は、それらのリソースを補うITベンダーの協力を得る必要があり、自己完結が難しくなっていきます。

SaaSではユーザー企業の拠点に出向くという作業から解放され、クラウドサービスとして運用を集約することができるため、これらの課題を解決し自己完結することができるようになるのです。

## 事業計画が立てやすく、成長戦略を描きやすい

　このように、オンプレミス型システムと比較してSaaSビジネスは参入障壁が低いことから、大手ITベンダーだけではなくベンチャー企業の活躍も目立ちます。ベンチャー企業にとっての魅力は、参入障壁が低くなった点だけではなく、事業計画が立てやすく、成長戦略を描きやすいというメリットもあると考えられます。オンプレミス型のシステムを販売しようとすると、一つの商談が非常に高額となり、計画的な販売計画を立てるためには毎回ホームランを狙うような無理が発生します。一方で、サブスク型の価格設定であれば、ユーザー企業としても受け入れやすく提案のハードルはグッと低くなります。

　またサブスク型の収益構造の特徴として、一度契約してもらえば、解約されない限り安定した売り上げとして計上されます。契約数や単価、継続率といった、いくつかのKPIを押さえれば、3年後にどのくらいの売り上げが見込めるのかなどの計画は立てやすいと言えます。

## 結果としてさまざまなサービスが登場

　ベンチャー企業の参入のしやすさから、結果としていろいろな分野でSaaS型のITソリューションが登場しています。ERP（基幹系情報システム）やCRM（顧客管理システム）、SFA（営業支援システム）などオンプレミスで利用されていたシステムのみならず、MA（マーケティングオートメーション）や名刺管理システムなど、これまでオンプレミス型システムとしては見られなかったようなソリューションが次々と登場しています。

　このことからも、SaaSの手軽さが強みとなって新しいアイディアをビジネスとして展開できるようになっていることが感じられます。最近ではAI技術をとりいれたサービスなども目立っており、ITソリューションの先端としてSaaSが注目される状況は続くことでしょう。

# 2.6 レガシーシステムからの移行、日本企業とのフィットギャップ

## マーケティング志向型の課題

　ここまでに述べてきたように、SaaSはユーザー企業、提供するITベンダー共に多くのメリットがあります。価格も安く、導入も手軽、サービスのバリエーションはまさに百花繚乱のSaaSを利用すれば、ユーザー企業が抱えるIT活用の課題は解決し、DXが進むような気がします。しかし、そううまくはいっていない企業が多いことが現実です。

　多くのSaaSはマーケティング志向型のアプローチで展開されています。つまり、ユーザーのよくある課題に対して、我々はこういうソフトウェアを用意したので使ってくださいというアプローチです。SaaSとしては、多くのユーザーに同じソフトウェアを提供し、利用してもらうことが一番効率の良いサービス提供の在り方です。言うならば、オンプレミス型システムで見られたパッケージソフトをインフラ環境とセットで、手軽に利用できるようにしたサービスです。

　それに対して、繰り返し述べてきたように、日本企業は自社の事情に合わせて、パッケージソフトであってもパッケージ開発としてカスタマイズすることを好んできました。そうしたパッケージ開発や、スクラッチ開発による個別対応は、オンプレミス型システム提供では一般的でしたが、できるだけ共通化して提供効率を高めていく発想が強いSaaSとは相容れません。

　SaaSがユーザー企業のIT活用の課題に対する最適解であると手放しに言えない理由としては、日本人が好む各企業の業務文化に合わせたカスタマイズを許さないことが考えられます。

　もちろん、SaaSの長所である継続的なバージョンアップ対応により、機能追加を重ねていく過程でユーザーの意見をサービスに反映させ、ニーズを満たしていくことは考えられます。しかし、ユーザーごとのニーズを全て網羅することは難しく、ユーザー全体から見れば小さなニーズであれば対応は当然後回しになっていきます。一方で、小さな、特殊なニーズがその企業にとって重要であれば、その小さな引っかかりによってSaaSの利用を断念せざるを得ないのです。

## 「今のまま」を望むユーザー企業

これまでのオンプレミス型システムからSaaSへと移行する際に、当然、これまでとは違うシステムを利用するわけですから、さまざまな違いが生じます。その企業の業務に最適化され、また使い続けることによってユーザーも慣れていき、業務と一体となって利用されているシステムがほとんどです。それを捨てて、SaaSに移行することは簡単ではありません。理屈ではSaaSに移行するメリットを理解できたとしても、実際に日々の業務で使う立場からすれば苦労の方が多く感じたとしても仕方がないでしょう。

結果として既存システムがレガシーとして残留し、移行が進まずに「2025年の崖」という問題を引き起こしている状況を見ると、SaaSは必ずしも万能ではありません。手軽でいいサービスだったと感じたとしても、結局は今のままがいいというユーザー企業は結構多かったりします。

私が仕事としてシステム提案を行う際に多く出会うパターンは、既存で利用しているシステムで実現できていることを前提に、不便に感じていた部分を改善したいという要望です。そして、実は不便に感じて改善したい部分よりも、既存で実現できている機能が一番重視されていたりするのです。

システム更改のタイミングで、SaaSへの切り換えを検討することは当たり前になりつつあります。一方、本音としては「今のままがいい」というユーザー企業も多いのではないでしょうか。こうしてSaaSへの移行を足踏みしてレガシーシステムが残り続け、その企業の前向きな改善文化を停滞させてしまいます。

## すれ違う、SaaSを提供するITベンダーとユーザー企業

オンプレミス型システムからSaaSへの移行を進めるには、SaaSの仕様に合わせた大掛かりな業務改革が求められます。SaaSはユーザー企業それぞれの「今のまま」を意識して提供されていることはほとんどありません。業務改革の実現を前提として、新たな価値を提供することが訴求されることがほとんどでしょう。なんだか矛盾するようですが、今と変わらないことを訴求しても、マーケティング的にそのITソリューションが評価されることはありません。一方でユーザー企業からすれば、実は今と変わらないことも価値であったりするのです。

ユーザー企業の理想としては、変えたくない部分は変えずに、便利になる部分はできるだけ恩恵を受けたいというのが本音ではないでしょうか。しかし、

SaaSにおいて「変えたくない部分」、言い換えればユーザーが大切にしている仕様を個別のカスタマイズで対応するという発想は一般的ではありません。多くは、ユーザー企業側がSaaSに合わせた業務改革を行うのか、SaaSの導入を見送るかです。

　決意をもって行った業務改革が必ずしも成功するとは限りません。切り捨てられた部分が、実はそのユーザー部門において致命的な要素であった可能性もあるわけです。そうした場合、業務改革を断行し、SaaSへの移行がむしろマイナスであったという結果を招きます。

　一方でSaaSを提供するITベンダーの立場からすれば、際限なく生まれるかもしれないユーザーそれぞれの要望に対応するよりも、まずは自社が提供するサービスを利用して業務改革を行った際のメリットを積極的に提案する方が営業戦略として合理的です。提供するソリューションに合わせて、ユーザー企業が業務改革する成功例をどんどん発信することで、これから検討を始めるユーザー企業に業務改革への意欲を高めてもらうわけです。

　マーケティング的な視点で考えれば、よりセンセーショナルで画期的な成功例を露出させ、サービスとしてその世界観に最適化し、先鋭化していくことは正攻法であると言えます。一方で、大多数を占める少し保守的なユーザー企業のリアルと少しずつずれていく危険性をはらんでいます。

## 「カスタマーサクセス」に至らない、SaaSの迷走

　SaaSビジネスにおいて重要なキーワードとしてカスタマーサクセスがあります。英語から直訳すれば「顧客の成功」となりますが、SaaSを利用することで、ユーザーが成果を上げている状態に至るために能動的に支援するフェーズ、役割を指します。成果を上げて、価値を感じている限りユーザーはサービスを継続的に使ってくれます。SaaSが継続的な利用によって収益を上げるサブスク型の収益モデルであることを考えると、カスタマーサクセスの重要性が理解できます。

　一方でこのカスタマーサクセスというのは一筋縄でいかないことは想像に難くありません。例えば、提案する段階で求められる業務改革に目をつぶって導入を断行したとすれば何が起きるでしょうか？　業務にそれほど密接ではないソリューションであれば、使われずに風化してしまうでしょう。また業務に密接で欠かせないシステムであれば、かえって生産性を下げてしまうような結果を招くかもしれません。導入してはじめて、SaaSを提供するITベンダーの理想とユーザー

企業の現実のずれが顕在化してくるのです。

### ▌切り換えたシステムと現場ニーズのミスマッチ

　私の仕事でもあるコールセンターで利用されるテレフォニーシステムの提案においては、オンプレミス型のシステムから思い切って安価なSaaSに移行したところ、従来使っていた機能がなくなったことで現場メンバーからの不満が続出し、再度のシステム変更を検討しているとして相談を受けることがしばしばあります。まさしく、迷走です。

　ユーザー企業がシステムを導入する、ましてや既存のシステムから乗り換える場合の苦労は大変なものです。またITベンダーにとっても、大変なロスであり、このミスマッチをどう解決していくかは重要な問題となります。

## 実は儲かっていないSaaSビジネス

　次々とさまざまなサービスが登場しているSaaSですが、ベンチャーキャピタルに勤める知人から話を聞くと、法人向けのSaaSビジネスで成功する企業は意外にも少ないようです。

　オンプレミス型システムと比較して提案しやすいとはいえ、システム導入のハードルは決して低くはありません。また、営業力でなんとか導入に至ったとしても、カスタマーサクセスがうまくいかず、ユーザーが定着しないサービスも多いのではないでしょうか。SaaSの特徴でもあるサブスク型の収益モデルは長期的に収益を得ることが重要になります。ユーザーの出入りが多ければ、営業の苦労に対して、ただ薄利なだけの商売となってしまうのです。

　SaaSにおいて、ユーザーが定着しない理由の一つに、ユーザーがせっかく導入したサービスを使いきれないことがあげられます。私も恥ずかしながら、BI（ビジネスインテリジェンスツール）の提案を受けて、カッコいいデモと素晴らしい活用事例に憧れて会社に頼んで導入してもらったことがあります。しかし、利用するデータの整備など業務整理が考えていた以上に大変であり、またサービスの利用方法の詳細を理解するための時間がとれずに、ほとんど活用することなく解約したという苦い経験があります。似たような経験がある方もいらっしゃるのではないでしょうか。

　ユーザー企業の業務に無理なくフィットする、そんなITツールが求められていると感じます。

# 2.7　ノーコード、ローコードでの<br>カスタマイズとその課題

## ユーザー企業自身でカスタマイズ可能なSaaS

　一般的なSaaSでは細やかなユーザーのニーズにフィットすることは難しいとされてきましたが、最近は企業ごとの違いを、ユーザーの手でカスタマイズすることで解決を試みるアプローチが登場しています。当然、ユーザー企業の担当者がプログラム言語を扱うことは現実的ではありません。ノーコード、ローコードというプログラミングに関する知識がなくても扱える、簡易な開発機能を提供する形で対応します。代表的なサービスとしてはSalesforceがあげられます。

　ノーコードやローコードによるサービスはユーザーにとってメリットとなりそうな機能をパーツとして提供し、後はユーザー部門自身の手で理想とする形に作り上げることができます。純粋なプログラミングによる開発と比較して、自由度に制限はありますが、ユーザーが求める要件の大半はカバーできます。例えるならば、一般的なSaaSは形が決まっているプラモデルだとすると、ノーコード、ローコードによる開発が可能なサービスはブロック玩具のようなもので、組み合わせることで船でも飛行機でも作れるのです。

### ■ ノーコード、ローコード、プロコードとは

　ソフトウェア開発というと、多くの人は専門的で高度なプログラムの知識が求められるプロコードを想像するのではないでしょうか。プロコードとは、プログラムコードを書くことでソフトウェア開発を行う方法です。この作業を行える人がプログラマーとなります。

　一方で、最近は専門知識を持ったプログラマーではなくてもソフトウェア開発を行える様なアプローチが登場しています。ローコードはあらかじめプラットフォームとしてインターフェースが用意され、ゼロからプログラムコードを書くよりも、決められた仕組みの中で少ない労力で開発を行うことができます。ノーコードは、用意されたテンプレートや機能をレイアウト変更や設定をすることで、プログラム言語の知識がない一般ユーザーでもカスタマイズが行えるように設計

されています。こうしたアプローチにより、SaaSでありながらユーザー自身が
カスタマイズを行うことで、細かなニーズに適応することが期待されます。

| | ノーコード | ローコード | プロコード |
|---|---|---|---|
| | 提供された豊富な設定項目を組み合わせて構築 | 簡易化されたソースコードやGUIを用いて構築 | プログラミングによる構築 |
| 自由度 | 低 → 高 | | |
| スキル | 不要 → 必要 | | |

● 図2.7.1　ノーコード、ローコード、プロコードの違い

## OAスキルから考察するユーザー企業の限界

　プログラマー不要で、自分たちの理想のシステムを作り上げることができるというノーコード、ローコードのメリットは表面的には非常にわかりやすいと思います。しかし、思い出してほしいのはプログラミングスキルが不要だからといって、誰しもが思い通りに活用できるというわけではないという事実です。Excelは触れたことがないという人の方が少ないのではないかと思われるほど普及しているソフトウェアですが、そんなExcelについて全ての関数を理解して利用している人や、マクロを使ってなんでも自動化できると自信を持って言える人は、多くはないのではないでしょうか。

　ノーコード、ローコードも同じで、そのサービスを深く理解することができれば、自由自在に理想のシステム環境を作り出すことができるかもしれません。しかし、裏を返せば、理解していなければ持て余すことになります。

　簡易化されているとはいえ、それなりの学習とスキルがなければ、ノーコード、ローコードであったとしても、理想とするカスタマイズの実現は難しいわけです。

## ユーザー企業の担当者のタスクにシステム理解が上乗せ

　ノーコード、ローコードのサービスを利用すると、ユーザー企業の担当者にしわ寄せが来ます。担当者は非常に苦労して業務を整理し、業務改革を進めている上に、ノーコード・ローコードの理解まで要求されます。担当者からすれば、さらに仕事が増えるわけです。

## 求める成果のために、何を知るべきかがわからない苦しみ

　また私事で恐縮ですが、当社でSFAを導入したときも、非常に苦労しました。SFAの機能の一つである、商談状況を表示するダッシュボード機能を使って、流入経路別や担当販路別のリード件数や契約件数などの情報を表示させようと思いました。やりたいことは明確で、Excelでは難なく作成することもできます。しかし、それをSFAツールのダッシュボードで実現するには、ものすごい量のドキュメントの中から必要な情報を見つけ出し、用意されたトレーニングプログラムを使って勉強しなければいけませんでした。

　苦労したのは、自分が何をわからないのか、わからなかったことです。最終的に望むアウトプットはダッシュボードですが、それに行き着くまでに何をすればいいのかが、簡単にはたどり着かないのです。

　結局、基礎トレーニングなどを頭からこなしながら、知りたい内容にすぐにたどり着けないことにやきもきしつつ、なんとか構築することができました。

　ノーコード、ローコードの発想はユーザーニーズへの細やかなフィットを実現する回答の一つであると思います。しかしながら、日々の業務の傍らでユーザーが学習し、使いこなすレベルにいたるには相応の苦労があることは間違いありません。ノーコード、ローコードのアプローチをブロック玩具に例えましたが、飛行機が欲しいという要望に対して、バラバラのブロックを手渡して「好きに作っていいですよ」と言われるような感覚です。

　結局、自分でできないのであれば、外部の手助けが必要になります。


## デリバリーを支援する企業たちと移り変わるエコシステム

　オンプレミス型システムにおいて、ITベンダーがシステムをユーザー企業に引き渡し、実際に使える状態にする作業が大変であることは前述の通りです。実際に使える状態にまで整備する作業をデリバリーとよびます。クラウドサービスの登場により、ハードウェアに関しての負担は随分と軽減されたことは間違いありません。

　一方でデリバリーは形を変えて、ローコード、ノーコードのシステムをユーザーにフィットさせて利用できる状態にまで支援することも、ビジネスとなっています。さまざまなプロダクトやサービスが組み合わさって大きな収益構造となることをエコシステムとよびますが、オンプレミス型システムが主流であった時代

とは少しずつ状況が変わりつつあるようです。世界でも有数のSaaSである
Salesforceを例にすると、日本市場においてSalesforce自身の収益に対して、
パートナーエコシステム全体が生み出す収益は4倍以上になり、さらにエコシス
テムの成長はSalesforceを上回る規模で推移する見込みということです。

　このことからも、SaaSが持つ成長性と、その活用支援に対するニーズを読み
取ることができるのではないでしょうか。

# 結局、プロフェッショナルに頼らざるを得ないIT活用

　クラウドサービスの登場でハードウェアの運用から解放され、自社に合った
SaaSを選択するような形であれば、ユーザー企業の担当者のみで必要なシステ
ムを利用できる可能性が生まれました。一方で、自由度に課題があり、実際の業
務にフィットしないリスクが存在します。

　それに対して、ユーザー要件に対する自由度を確保するために、ユーザー自身
でカスタマイズできるような環境を提供して解決を試みているのがノーコード、
ローコードです。しかし、自由度を担保するために結局ユーザー企業のみの力で
は扱いきれないシステムとなり、外部のITベンダーの力を借りざるを得なくな
ってしまうというのは皮肉な結果と言えるのではないでしょうか。

　これは、日本におけるユーザー企業のIT人材の在籍事情、これまで一般的で
あった日本が抱えるIT産業の構造、そして、それらがもたらすシステム運用の
負担が常識と化したIT活用状況と、SaaS型サービス提供の合理的な在り方によ
るユーザーニーズとのミスマッチなど、複数の要素が絡み合って生まれた結果で
す。シンプルに何が悪いという単純な話ではないのです。

## ▎理想のIT活用へのラストワンマイル

　今後、現在のSaaSを筆頭としたIT活用をイメージすると、まだシステム化さ
れていないような業務分野においてはSaaSを提供するITベンダーの理想形に当
てはめたサービスの活用が活発になるでしょう。一方で業務に密接な分野、特に
従来利用していたシステムからのリプレイスが求められるシステムについては、
ノーコード、ローコードに見られる柔軟なサービスを、外部ベンダーに頼りなが
ら活用する形がSaaS活用のスタンダードになるかもしれません。

　しかし、このIT活用の在り方が、DXとして求められる「攻めのIT活用」を
実現できるのでしょうか？「攻めのIT活用」では、それぞれの企業文化の強み

を発展させ続けるような、継続的な改善活動、仮説検証型のIT活用が求められます。そのために、ユーザー企業がIT人材を自社で抱え、システムを活用する体制を組織することが求められるようになるかもしれません。しかし、そもそも、日本企業がIT人材を外注するようになってしまった背景には、流動性に乏しい日本の雇用事情があります。そこを見直さないままでは、経営側が雇用を継続できるだけの十分な開発ボリュームを常に提供し続けなければならず、多くの日本企業がそれを実践するのは現実的ではないのではないでしょうか。

　では、日本企業において本質的なIT活用を実現する解決策は何でしょう？それが、本著のタイトルでもある「CXaaS」であると、私は考えています。

# 第 3 章

# 理想を実現する
「CXaaS」

# 3.1 常識外れのサービスモデル「CXaaS」

## 常識外れのサービスモデル「CXaaS」とは

　本書のタイトルとした「CXaaS」は私たちの会社が実践し、展開している新しいクラウドサービスモデルの呼称です。従来のクラウドサービスとしての分類はSaaSにあたりますが、ソフトウェアの提供にとどまらず、実際にソフトウェアを活用する「顧客体験」までをサービスとして提供するため、「CXaaS」（シーザース）とよんでいます。

　現在のSaaSは「道具を提供する」発想を追求してきたと言えます。インフラ運用の負担からユーザーを解放し、提供するソフトウェアをより手軽にユーザーに利用してもらえるようになったことで、道具を選ぶようにITツールを導入できるのがSaaSの良さであると理解されてきました。ユーザー自身の手でカスタマイズできるようにするノーコードやローコードというアプローチも、SaaSを提供するITベンダーはITツールの提供に専念し、手離れのよいサービス提供を目指すSaaSならではの思想の表れだと思います。

　SaaSビジネスで見られる顧客への利用定着を支援するカスタマーサクセスにおいても、ユーザー自身がITツールをより深く理解し、最終的には自立して利用することを目指したサポートが一般的です。一見、スマートで合理的に思えるSaaSの在り方ですが、結果としてユーザー企業とのミスマッチを埋めきれないことが多いのも事実です。

　そのミスマッチを埋めるために、利用に苦戦するユーザーの代わりにテクニカルな設定作業などを行い、ましてやユーザーが希望する機能を個別に開発するということは、SaaSにおいて非常識な対応と言えます。さらに、そのような対応をサブスクリプション型の費用体系の中で、追加費用をもらうことなく行うとすると、これまでのシステム開発の在り方からして非常識と言えるのではないでしょうか？

　その、非常識な価値提供を実現しているのが「CXaaS」です。

## ない機能は作るという選択肢

「CXaaS」の概要は次の通りです。

・SaaSとして、クラウドにてITツールを提供
・提供するITツールに対してユーザーが望むカスタマイズ開発を行う
・開発作業を含むテクニカルな作業はサービスとして専門エンジニアが対応
・上記をサブスクリプション型の費用体系で提供

　一般的なSaaSは、あらかじめ用意したソフトウェアを手離れよく提供することを目指します。提供するソフトウェアにユーザーが望むような機能がなかった場合、SaaSではそれ以上の対応が難しいと言えます。諦めてもらうか、将来のバージョンアップでの実装を期待して待ってもらうしかありません。

　それに対して「CXaaS」では、顧客要望を満たす機能がない場合は新たに開発して対応します。ユーザーニーズを満たす、シンプルで確実な方法です。当然、SaaSとして展開する以上、一つのユーザーニーズに対応して終わることはなく、さまざまな顧客ニーズに対して継続的に対応するために機能をどんどん開発していくことが求められます。結果、ソフトウェアとしては高機能なものに発展していきます。また、開発した機能を組み合わせて提供することも可能です。

　このようにSaaSでありながら、CXaaSはかなりの自由度を確保して、ユーザーに合わせたシステム構築を実現できるサービスモデルです（図3.1.1）。

　ノーコード、ローコードによるカスタマイズはあらかじめ想定された範囲での設定や開発に限定されます。それに対して、「CXaaS」はプロコードによる開発作業も選択肢となり、さらに高い自由度をもって対応することができるのです。

| | SaaS | CXaaS |
|---|---|---|
| 提供内容 | サービスとしてITツールを提供 | サービスとしてITツール＋活用体制を提供 |
| 個別開発 | 原則対応不可 | 対応可 |
| サポート方針 | ユーザーの自立 | ユーザーとの協業 |
| 費用 | オプション、エディション選択により変動 | 開発、エンジニアサポート含めて一律 |

● 図3.1.1　SaaSとCXaaSの比較

## 人的サポートもサービスとして提供

　高機能で自由度が高いというと、一般的にはメリットとして受け止められますが、これまでのシステム活用の状況を鑑みると一概にもそうは言えないことは理解いただけるでしょう。つまり、高機能で自由度の高いソフトウェアを利用するためには、たくさんの機能を十分に理解して、自由に扱うために十分なITスキルを持ち合わせることが求められるのです。

　ローコード、ノーコードによるアプローチの課題として、ユーザーニーズへの適応性の高さと引き換えに、利用するまでのハードルの高さに問題がありました。その解決のために、ユーザー企業は外部ITベンダーに頼るような構図が出来上がりつつあります。これは、SaaSビジネスの基本戦略でもあるソフトウェア提供に専念し、手離れのよいユーザー提供の在り方を重視した結果と言えます。

　「CXaaS」はSaaSとしてローコード、ノーコードを上回る自由度を確保しながらも、利用するまでのハードルの高さに対して人的なサポートもサービスの提供価値の一部とすることで解決を図っています。すなわち、ユーザーが苦手とするテクニカルな設定作業や、必要な開発作業についても、SaaSを提供するITベンダーに所属するエンジニアが対応して利用を支援するのです。

　このように、SaaSとしてITツールを提供するだけにとどまらず、ITツールを実際に活用できるところまで人的サポートを行うことが、「CXaaS」の特長の一つとなっています。

## 定額のライセンス費のみのシンプルな費用設計

　「CXaaS」では、ユーザーが自由度の高いITツールを専門エンジニアのサポートの下、負担なく使うことができます。ユーザーにとって、従来のシステム導入の課題を考えれば理想的なサービスと言えるのではないでしょうか。かつ、このサービスは定額のライセンス費のみで利用できます。つまり、開発に関する費用や、デリバリーのための作業費用が追加で発生することがないのです。

　IT活用において、計画の段階で漏れなく要件を考慮して判断することは非常に難しく、予期せぬ要件が発生した場合、従来のシステム提供の在り方では想定外のコストが発生することは免れませんでした。また「攻めのIT活用」を実現する上で、予見できないコストは柔軟性を損ね、変化を許容しづらくする大きな要因の一つになりえます。

「CXaaS」では、定額の費用設定により予期せぬコスト上昇のリスクを最小化し、変化に寛容なIT活用の在り方を実現するのです（図3.1.2）。

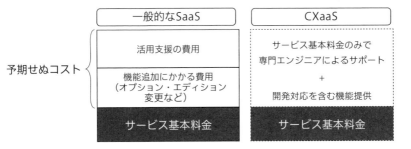

● 図3.1.2　SaaSとCXaaSのコスト面での比較

## 高い満足度と継続率

SaaSはパッケージを選択するように導入できます。しかし、それだけではユーザーごとの細やかな要求を満たせない場合があります。ノーコード、ローコードといったカスタマイズの仕組みをユーザーに提供することで細やかなニーズを満たせるような設計も可能ですが、自由度としては想定された枠組みに限定され、利用するユーザーに相応のリテラシーと手間が要求されます。

それに対して「CXaaS」は、SaaSならではのパッケージを選ぶように導入する手軽さを残しながら、足りない機能や欲しい機能についても追加開発という選択肢を持つことで高い自由度をもって提供され、かつ自由度のメリットを十分に享受するためのテクニカルな対応は専門エンジニアに任せることができます。しかも、定額費用の範囲内です。

結果として「CXaaS」の提供するサービスは、ユーザーにとって満足度の高いものになるでしょう。実際に私の会社が「CXaaS」として提供するサービスの月間のカスタマーチャーンレート（解約率）は、平均0.3パーセントを下回る水準で推移しており、解約の理由のほとんどは事業部門の統廃合による利用停止など、ユーザー都合によるものです。SaaSビジネスでは3パーセント未満を維持すべきであると言われており、その水準と比較しても非常に低いことがわかります。

このことからも、「CXaaS」はユーザー企業にとって理想的なITツールの提供の在り方なのではないかと考えています。

# 3.2 技術スペシャリスト「FAE」が顧客の要望をカタチにする

## 「CXaaS」の要、FAE

　「CXaaS」の特長の一つである、「人的なサポート」において中心的な役割を担うのがFAE（フィールドアプリケーションエンジニア）です。FAEは一般的には営業担当者と同行し、技術的な専門知識を活かしたサポートや技術的な打ち合わせを行う要員を指します。

　「CXaaS」におけるFAEは、提供するITツールの専門家としてユーザーと直接コミュニケーションをとりながらニーズを聴取し、要件を調整し、利用環境を構築します。また新規の開発が必要な要件については、開発エンジニアとの橋渡しの役割も担います（図3.2.1）。

CXaaSにおける
**FAE**

「CXaaS」の要であり
マルチロールな存在

役割
・ITツール活用に向けたコンサルティング
・ノーコード、ローコードを用いた開発設定作業
・ユーザーと開発エンジニア間の仕様調整

求められるスキル
・ユーザーとのコミュニケーション力
・提供するITツールの技術的な理解
・仕様調整のためのマネジメント力

● 図3.2.1　FAEに求められる役割とスキル

　このようにCXaaSにおけるFAEは、顧客窓口として直接コミュニケーションをとりつつ、必要なシステム構築作業もできる、自己完結した存在であると言えます。少なくとも自分たちが提供するITツールについては、どのような機能が備わっており、どのような設定をすべきか、またそれにはどのような作業が発生するのかなど、バックグラウンドも含めて具体的な業務知識を保有した存在となります。また、自己完結性が高いため、対ユーザーへのメインの担当者はほとん

どの場合1名となり、顧客対応の判断にあたっては各自の裁量が与えられています。

## エンジニアでありながら、顧客と直接コミュニケーション

　ユーザー企業の窓口として担当者と直接コミュニケーションをとることも、FAEの仕事です。一般的にはコミュニケーションに長けているのはエンジニアよりも営業担当者というイメージがあるのではないでしょうか。私も仕事でシステム関連の打ち合わせに参加すると営業担当者＋エンジニアという組み合わせが多く、基本的には営業担当者がユーザーとコミュニケーションをとりながら、必要に応じてエンジニアに意見を求めるという光景は、企業を問わず目にします。

　それに対して、「CXaaS」では早い段階からFAEが直接ユーザー企業の担当者とコミュニケーションをとることが一つの特徴になっています。このことから、FAEに求められるスキルとしてはシステムを深く理解するためのエンジニアのスキルとともに、コミュニケーションスキルも重要です。

## プロコードによる開発は開発エンジニアに依頼

　FAEは、ユーザーがITツールを利用するための環境構築や設定作業を行います。これらの作業は、これまで見てきたノーコード、ローコードでの開発作業に近い、プロコードでの開発作業よりも簡略化された作業となっています。

　一方で「CXaaS」の良さの一つとして、従来用意されていない機能の提供があります。中には、プロコードでのゼロからの開発が必要なケースも当然発生します。この場合のFAEの役割は、ユーザーとプロコードでの開発を行える開発エンジニアとの橋渡しです。FAEがコミュニケーションをとりながら、ユーザーのニーズに対して既存機能での対応は難しいのか、新規開発するにあたって既存機能とどのように整合性をとるべきかなどを考慮し、開発要件を調整していきます。

　調整の過程では開発エンジニアとしての観点からの指摘もあり、ユーザー、開発エンジニアの双方の意見に対して最適な着地点を探っていくことが、FAEにとっての重要な役割の一つです。

## FAEとのコミュニケーションで金銭的な交渉は発生しない

　「CXaaS」でFAEがコミュニケーションの中心となる背景としては、ユーザーとのコミュニケーションにおいて金銭的な交渉が発生しないことがあげられます。よく見られる営業担当者＋エンジニアの構図は、金銭的交渉窓口として責任を負うべき役割が営業担当者に求められていると考えられます。

　一方、「CXaaS」では、開発作業やテクニカルなサポート対応について定額費用内での対応が前提となるため、議題としては技術的な要件に限られます。ビジネスモデル上、FAEとして売り上げ目標を持っているわけではないので、関心事はユーザーに満足して使ってもらうことになります。

　このようにユーザーとFAEの関係でお金が影響を与えることはなくなり、お金を軸とした交渉や駆け引きなどのコミュニケーションは不要になります。シンプルに、ユーザーとして何を望むか、そしてどう実現するべきかについて話し合うことが主となります。


## 導入経験豊富な人員が対応

　「CXaaS」のFAEは、経験豊富なプロフェッショナルとなる可能性が高いと言えます。エンジニアは一種の職人です。多くの現場を経験することで、発想とスキルを深化させていきます。

　それに対して、オンプレミス型システムのプロジェクトは、ユーザーの希望を聞きながら対応することは「CXaaS」と同じですが、プロジェクトの規模によっては数年を要するなどの大掛かりなものも存在し、かかりきりでの対応が求められることもあります。また、エンジニアは大きなチームの一部として働くことも多く、主体的に考えて仕事ができる立場になるには、それなりのキャリアが必要になります。いわば下積み期間が長くなりがちなのです。

　一方「CXaaS」では、SaaSならではのスピード感で導入が進みます。経験できるプロジェクトの数は必然的に多くなります。また、FAE各自に裁量が与えられているということは責任を負うということでもあり、主体的な立場として場数を踏むことになります。この点からも、プロフェッショナルとしての人員が育ちやすく、「CXaaS」が提供する人的サポートの質を高めることにもつながっています。

## ▎経験豊富な FAE によるお金のしがらみのない提案

　FAEがさまざまな企業でのシステム導入を経験していることは、ユーザー企業の安心感につながります。例えば、似たような課題の相談を受けた場合、他のユーザーの事例から解決策を提案することも自然にできるようになります。FAEの提案の選択肢の広さは、そのまま「CXaaS」が持つ自由度を活かすポテンシャルに直結するのです。

　また、幅広い選択肢を狭めかねない、利益のしがらみを考慮する必要がないということも重要です。利益のことを考えれば、お金になりそうにない提案はしないという発想が生まれかねず、結果として「CXaaS」の良さをユーザーが享受できない可能性を生むからです。

# 3.3 CXaaSの活用事例

## CXaaS導入に至った背景

　コムデザインが「CXaaS」として展開しているITツール『CT-e1/SaaS』は、CTI（Computer Telephony Integration）とよばれる電話に関する分野のシステムです。主にコールセンターとよばれる電話窓口で利用されており、現在は国内でもトップクラスの27,000シート、1,350テナントの採用実績となります。

　その中で、ここでは衣料品小売業にシステム導入した際の経験から、「CXaaS」の活用事例を紹介したいと思います。

　衣料品小売業（以降A社）は、これまでアウトソーシングしていた電話問い合わせ窓口、コールセンターの内製化を検討していました。その検討の一環として、弊社に利用するシステムの提案依頼をいただきました（図3.3.1）。

　・内製化することによる、外注費を含めたコストの削減
　・自社でのノウハウ蓄積とマーケティング的活用

の2点を目的に、トップダウンで指示が出されたとのことでした。部署の新設と必要なシステム導入という大仕事を主導するのは、当時の総務担当者です。

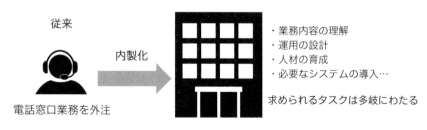

● 図3.3.1　電話窓口の内製化にともなうタスクは多い

## プロジェクトの課題

このプロジェクトの課題として印象的だったのは、次の2点です。

・ユーザー企業担当者にIT知識だけではなく、業務知識もなかった。
・トップの認識と現実のITツール事情が乖離していた。

このケースでは、利用を想定するユーザーがITツールに対しての知見がないだけではなく、予定している業務そのものについて経験がないという点に特徴があります。

ユーザー企業の担当者は、コールセンターを内製化する上で、まずどのようなシステムが必要なのか、手探りの状態からWebでの情報収集や、展示会に足を運ぶなどしてリサーチを重ねていました。リサーチの結果、コストを考えるとITベンダーに一任し、オンプレミス型システムを導入するには予算オーバーとなることは明白であり、SaaSで提供されているITツールの導入以外に選択肢がないことまでは判断できていました。

しかし、分野も機能もバラバラのシステムをどのように比較、検討していくべきかわかりません。ましてや、まだ実際の業務経験がないのです。これからどのような機能が必要になるかも確信が持てないまま、システム導入の判断が求められるという困難な状況でした。

またシステム導入を指示したトップのイメージと当時市場にあったITツールの実情の乖離も、ユーザー企業担当者の苦労のもとであったようです。というのも、指示したトップは当時ニュースなどを賑わせていたAIなどの活躍を目にして、そういったものを利用すれば、AIが自動的に回答するような効率的で画期的な問い合わせ窓口を実現できると考えていたのです。現在でこそ、類似のソリューションが徐々に市場に現れつつありますが、当時はまだまだPoC（Proof of Concept：概念実証）の域を出ず、高価で一般的な企業が手を出せるようなものではありませんでした。

笑い話のようですが、程度の差に違いはあったとしても、さまざまな企業でこういった課題に直面することは起こりえると感じます。

## ユーザーが求める条件

このプロジェクトの特徴としては次の点があげられます。

・システムへの高度な投資は無駄になる可能性が高い。
・現在求められる機能要件を満たすだけでは不十分になる可能性が高い。
・将来的に考慮される機能要件も不明瞭である。

　担当者曰く、さまざまなSaaSを提供するITベンダーから提案を受ける過程で非常に魅力的な提案をたくさん受けることができたが、まだ実際に業務を行ったこともない現場のメンバーがそれらのITツールを駆使するイメージが湧かなかったそうです。この判断は非常に納得できるものであり、判断の軸として高機能で複雑なITツールの導入は初期段階では見送ろうということになりました。見送りの対象としては、高度なカスタマイズ要件が求められそうであったCRM（顧客管理システム）などです。
　一方で、組織が成熟していく過程で、これらのITツールを使わないことはありえないということも、検討の過程で強く感じたといいます。その他にも、現在は問い合わせを受けるだけの対応を検討しているが、将来的には架電業務にも積極的に活用していくような想定があり、それに適した機能の提供が必要になる可能性があり、また電話だけではなくチャットなどのマルチチャネル対応など、今後の展開によっては重要な要件となりそうな機能がいくつかありました。
　しかし、これらの機能が本当に必要になるかはわかりません。そこで、まずは最初に導入を決めた電話システム、つまりCTIに彼らが求めた条件としては下記のようなものでした。

・シンプルでわかりやすい機能で導入、運用が容易であること
・将来的に求められるかもしれない機能も提供できること
・将来的に導入するITツールと柔軟にシステム連携できること
・これらが過度なコストを要さず実現できること

　ユーザー企業の担当者であれば、上記のような条件はシンプルであり同意できるものでしょう。一方で、システムを提供するITベンダーからすると難題と言えるかもしれません。

# SaaSではたどりつけないラストワンマイル

　まず「シンプルでわかりやすい機能の提供と導入、運用が容易であること」という条件は、SaaSの強みにあたると思います。特に、パッケージとしての性質が強いサービスはピッタリでしょう。しかし、二つ目の条件が立ちはだかります。「将来的に求められるかもしれない機能」という抽象的な表現は、多くのITベンダーにとって最も厄介な一文です。三つ目の条件はSaaSならではの条件と言えます。近年は各分野に特化したSaaSを採用した場合、業務効率化を目的とした連携可否は重要な要件の一つです。しかし、二つ目の条件と同じで具体的にどのシステムとの連携が必要なのかがわからないため、提供している範囲で対応可能かどうかの判断は困難です。そして、とどめの四つ目の一文です。

　例えば、ノーコード、ローコードによる開発対応による柔軟性をアピールしようとしても、ユーザーに求めるITリテラシーは当然高いものとなり、また外部ベンダーに頼ることを提案するのでは最後の条件を満たせません。既存のSaaSではたどり着けないラストワンマイルが課題として立ちはだかったと言えます。

　結果的に、このユーザーは弊社サービスが持つ「CXaaS」の強みを評価し、導入いただくことになり、数年経った現在も運用いただいております。将来的な要件への対応に関する説明については、「CXaaS」が持つ開発による対応の説明と合わせて、今後発生するかもしれない業務とニーズについてユーザーと議論し、過去に弊社が行ってきた対応を例に、納得いただきました。

# 「CXaaS」によるITツールの導入後

　コールセンターで一番シンプルな電話に関するシステム、CTIの導入からスタートしたA社ですが、順調にシステムと一体となった業務改善が進んでいます。

## ▋ITツールによって見つかる業務課題と改善

　弊社システムが提供する機能の中には、レポート機能があります。入電数や各コミュニケータの稼働状況など、分析項目はさまざまです。当初、担当者はそんな詳細なデータをどう使うのか疑問だったようですが、実際に運用してみると、人によって電話を取る回数に偏りがあることがわかってきました。気になってさらにデータを突き詰めていくと、電話を取る回数が少ない人は、電話が終わった後の発注業務に時間をとられることがわかりました。

そこで運用改善を行い、電話のロスを減らしていきます。さらに運用を続けていくと、次に見え始めたのが、売り上げにつながる問い合わせと売り上げにつながらない問い合わせの存在でした。これまでは内容を区別せずに電話を受けていましたが、注文につながる電話を優先できれば、売り上げ向上につながります。

そこで、注文のお客さまであればオペレーターにすぐにつなぎ、それ以外の問い合わせは優先順位を上げ下げし、注文の電話がないときにだけ電話を受けるような仕組みを導入したいとご相談いただいたのです。

## ▌小さな改善を実現するITツール

こういった機能は、実はCTIとしては一般的な機能として存在します。ただ少々高度な機能であるため、備えていないシステムも存在します。

最初から要件として認識していれば問題になることはありませんが、A社のケースでは難しく、後からできないことが発覚したかもしれません。そうなれば、A社の判断としてはその時点で業務運用の改善を諦めるか、再度苦労を承知で違うサービスに移行するかの判断が求められます。多くは、苦労を考えればこの小さなニーズには目をつぶるのではないでしょうか。そして、この小さな諦めの連続が、日本企業から、「攻めのIT活用」を遠ざけているように思います。

A社の場合は、「CXaaS」のサービスの中で追加費をいただくことなく実現できました。その後も、CRMを導入し、弊社のITツールと連携させて着信と同時に自動的に顧客情報が表示されるようなカスタマイズを提供いたしました。これからは、問い合わせの合間に営業架電を行う構想があるようです。この業務に必要となる機能も「CXaaS」により追加費用いただくことなく、提供いたします。

お客さまの運用と、システム提供の在り方が両輪で回転していく、派手ではありませんが、正しく地に足の着いた、日本企業のDXだと感じています。

# 3.4 システム導入担当者の負担を軽くするサービスモデル

## システムの「用意」と「利用」

　システムの恩恵を受けるまでには二つの工程があると思います。「用意」する工程と「利用」する工程です。これまでご紹介してきたシステム活用において直面する困難は、主に「用意」の苦労にあたるでしょう。

　システムとは、手段の一つと見ることができます。例えば川を渡って前に進むという目的があったなら、用意するべき手段は舟や橋です。舟や橋さえ作ってしまえば、使い心地に文句があったとしても、少なくとも目的に前進します。しかしながら、その舟や橋を用意することこそが、大きな苦労にあたるのではないでしょうか。この大きな苦労を避ければ、川を渡ることはできず、前に進むことはできません。

　「CXaaS」はシステムの恩恵を受けるまでの、大きな負担である「用意」のフェーズをFAEによる人的なサポートでユーザー企業のシステム導入担当者を助けます。また「攻めのIT活用」とは、前節の事例でもご紹介したように運用の中で新しい目的が生まれ、新しい仕組みの「用意」が求められることになります。つまり、この「用意」の負担をいかに軽くできるかが、「攻めのIT活用」を実現する上で、重要な観点になると考えられるのです。

## 実行力のあるパートナーがいる安心感

　継続的に新しい仕組みが求められる場合、相談できるプロフェッショナルがいることほど心強いことはないでしょう。先ほどの例でいえば、舟や橋を作ることができる大工からアドバイスを受けられるのであれば、これほど心強いことはありません。「CXaaS」におけるFAEとは、まさしくそのような立場にあると言えます。提供する手段のプロフェッショナルとして相談できるパートナーです。

　プリンシパル＝エージェント関係を考えれば、一般的には相談するだけでもお金がかかります。しかし、「CXaaS」におけるFAEは相談、すなわちコンサルテ

ィングに対して費用を求めることはありません。FAEの仕事は話を聞くことではなく、ユーザーの要望を実現することであり、提供するITツールを活用してもらい、満足していただくことで、解約することなく末永く契約を継続してもらうことなのです（図3.4.1）。

| 実行力のあるパートナー（大工） | 依頼者 |
|---|---|

舟を作るのであれば、すぐにできそうです。　　　　流れの速い川を渡りたい。
橋を作ってしまった方が安全だし便利かもしれません。　たくさんの人が利用するかもしれない。
どちらも、私たちで作れます。

　　　　　提案と実行が一致　　　　　　　　　　提案に対する実行まで依頼できるため
　具体的で説得力のあるアドバイスが可能　　　　　　安心して相談できる

**ITツールにおいて「提案」と「実行」ができる代理人＝FAE**

● 図3.4.1　「提案」と「実行」が一致した代理人

　高度化する産業においては、しばしばこの相談するという行為も価値を持ちます。しかし、IT業界における情報の非対称性を考慮すると、実行をともなわない仕事は、モラルハザードのリスクがつきまといます。それに対して、「CXaaS」は実行まで責任を持つ実行力のあるパートナーとなります。

　このように、相談事の実現まで責任を持てるプロフェッショナルに相談できることは、システム導入の担当者にとっては心強く、サービス提供者にとっては信頼というビジネス上かけがえのない資産を得ることにつながります。

## 現在の要件に絞った判断で済む

　「用意」の工程では、「計画」し、「検討」する作業が最も負担になると言えます。なぜなら、システム導入において計画の段階で抜け漏れがあると、オンプレミス型システムであれば大変な手間とコストが、SaaSの導入であれば再度のシステム移行の検討が必要となります。では、この検討の負担を軽くするには、どうすればいいのでしょうか？

　シンプルな方法としては、判断すべき範囲を限定して狭めることです。A社の事例でも、将来要件については抽象的な要件として情報収集にとどめることでプ

ロジェクトを前進できました。これが、例えば将来的な機能要件まで網羅した場合の検討や、将来要件が実現できなかった場合のリプレイスに要するコストまで検討が求められたらどうでしょうか？ 担当者はおそらく疲弊し、プロジェクトがもしかしたら解散となっていたかもしれません。

### ■ 将来を見越したシステムの選択は難しい

ITツールを選ぶ際に、現時点では必要はないが将来追加する場合に余分なコストが発生する要件は、確実に存在します。車に例えるのであれば、軽自動車とファミリーカーのように、新婚のときは軽自動車で十分だったとしても、家族が増えれば手狭になり乗り換えが必要になるでしょう。システム、特にSaaSにおいては同じような状況はよく発生し、現在はコストや小回りの点で適性のあるサービスも、事業の状況によってはリプレイスが発生します。

そしてこのリプレイスに関連するコストにより、結果的に、最初からある程度の要件をクリアできるサービスを選んでいた方が安上がりだったということが起こりえます。検討すべき要素が増えれば、それだけ複雑な判断になるのです。

こうした状況に対して、「CXaaS」は最適な選択肢となります。自由度の高さと、それに対するコストを気にすることなく利用できる費用体系、そしてFAEの支援により、負担を気にせずに状況に合わせた利用方法を選択できます。つまり、ユーザー企業の担当者は現在必要とする要件に集中して判断を下すことが可能になります。

## コミュニケーションから導ける必要機能

ユーザー企業の担当者は、現状のシステムが抱えている課題をわかっていても、必要な機能に結び付けることができなければ、どのような解決策を求めているのかが具体的には定義できません。このような状況においても、FAEの役割は非常に大きいと思います。

例えば、現状で使っている顧客情報管理システムで、問い合わせのあった電話番号の入力作業に毎回すごく時間がかかっており、入力ミスが多かったとします。この課題を解決するにはどうすればいいのか、ユーザー企業担当者が具体的な方法まで発想し、要件を詰めていくことは大変でしょう。

それに対して、FAEに現在の課題と目的を伝えることができれば、コミュニケーションを通してシステムの仕様も踏まえた上でのアドバイスが可能です。そ

して、実際に実装へと進むのであれば、その作業はFAEが行います。ユーザー企業の担当者はAPI（機能連携に用いられるインターフェース）などの詳細要件や設定方法などについて、不安な思いで勉強しなくても済むのです。

## 見えないコストを最小限にとどめることが可能

次に担当者を悩ませるのがコストの問題です。想定していた予算から追加で必要な機能が判明し、後から見積もりが提示された場合、社内外に対して調整が求められるのはユーザー企業の担当者です。今まで経験がないプロジェクトのハンドリングであったとしても、見積もりが甘いということで、場合によっては社内での立場が悪くなる可能性もあります。

それに対して「CXaaS」であれば、当初想定していなかった必須要件が追加になったとしても、定額の費用の中で対応が可能です。もしこれを都度請求されていたら、そのたびに社内を説得するのか、機能を諦めるのか、提供ベンダーと交渉するのか、いずれにしろ、相当なストレスとなることは間違いありません。こうした負担も減らせるのが「CXaaS」の強みです。

## 「用意」する苦しみからの脱却

従来のオンプレミス型システムの運用では、システム更改は5年ごと10年ごとに発生し、大規模なシステムの更新が必要でした。オンプレミス型システムの導入プロジェクトは、SaaSの導入と比較すれば高額かつ長期的であり、担当者の負担は大きいと言えます。それでもたまに訪れる大仕事と考えれば、耐えられるかもしれません。しかし、今後本質的な意味でのDX、すなわち「攻めのIT活用」を各企業が志した場合はどうでしょうか？

5年ごとにゴールを設定するにはとどまらず、常に新しいゴールに向けた取り組みが要求されます。そして、その取り組みのたびにユーザー企業で選ばれた担当者は最適な手段、すなわちITツールの「用意」が求められるようになるはずです。こうなれば、これまでは負担もコストもやせ我慢でなんとかやり過ごしてきたという企業も、本質的な対応が求められるのではないでしょうか。

その本質的な対応の一つの回答が「CXaaS」であり、ユーザー企業の担当者のよきパートナーとして寄り添う存在がFAEであると、私は考えています。

# 3.5 　現場ニーズを受けとめる ソフトウェアサービス

## SaaSの基本戦略から逸脱した「CXaaS」

　従来のクラウドサービスの類型として「CXaaS」が提供する機能はSaaSに分類されますが、ソフトウェアの提供に関する基本戦略は、一般的なSaaSとは大きく異なります。

　SaaSはクラウド上で用意された機能を選択して利用してもらう形態が一般的です。言い換えれば、用意されていない機能は提供できず、個別のユーザーのニーズに合わせて機能を開発するという発想は生まれづらいのです。

　もちろん、SaaSの良さは継続的なアップデートによる機能拡充にあります。多くのユーザーから要望された機能であれば、意見を反映してもらう可能性もありますが、個別性の強いニーズへの対応は優先順位として低くなるでしょう。

　このように、SaaSの基本戦略とはユーザーニーズに対する最大公約数的な機能をサービスとして提供することを目指すものと言えます。

　また、新しい機能を追加するにもエンジニアの稼働が発生します。そうした場合、せっかく作った機能によってより利益を確保したいということも自然な考えです。結果として、オプション機能として提供することで追加の費用を求めたり、従来のシンプルな機能を低価格で提供するパッケージと比較して多くの機能を高価で提供するパッケージのように付加価値に応じたエディションを展開したりするなど、提供機能に応じて少しでも収益性を高めることを追求するアプローチが戦術として見受けられます（図3.5.1）。

### ▌SaaSの弱点を克服するCXaaS

　一方で「CXaaS」ではどうでしょうか？ これまでに紹介した通り、SaaSの基本戦略である最大公約数的なアプローチとは異なり、CXaaSではユーザーの個別ニーズをすくいあげることを価値としています。また、それらの開発作業、そして過去に開発した機能の提供に際して追加費用を求めることはありません。ま

た機能提供にあたり、ARPU（Average Revenue Per User：顧客平均単価）の
向上を求めない点についても特異であると言えます。

● 図3.5.1　SaaSにおける費用プラン例

## 運用に合わせたシステムの検討を実現

　ユーザー企業は、SaaSを選択する上で「帯に短し襷に長し」という悩ましい
問題に直面します。つまり、欲しい機能以外に不要な機能がたくさんついた高価
なサービスを選ぶのか、欲しい機能がいくつか不足しているが安価なサービスを
選ぶのかという、悩ましい問題です。システム導入判断はビジネスに関わるもの
となり、費用、つまりコストの重要性は機能要件に劣らない評価軸となります。

　この問題はオプション機能やエディションの選択だけではなく、異なるSaaS
間の比較検討においても発生します。帯として短くても不便に耐えて利用し、襷
として長いのであれば機能を持て余しながら、余分なコストに耐えつつ使ってい
くことも考えられます。ユーザー企業がシステムに合わせて運用を検討するとい
う、逆転現象が発生するのです。

　ユーザー企業の立場からすれば、不本意ではないでしょうか。やはり、運用に
合わせて最適なシステムを利用していくことが理想的であるはずです。「CXaaS」
ではその理想に対して、完全にフラットな費用体系を設定し、その費用体系の中
で全ての機能、また開発が必要なのであればその開発に関わる対応も含めて提供
します。そうすることで、ユーザーにとって機能要件、コストの判断を単純化し、
運用に合わせて自由に使いたい機能を利用してもらえるようになります。

## システムを使いながら成長可能

　システム導入の担当者は、忙しい業務の中でマニュアルや仕様書などのドキュメントだけでシステムを理解することは、実際には無理な話です。実際に触って使って初めて理解できることも多いでしょう。まさしく、A社の担当者の事例がそうでした。導入前に全ての機能を完璧に理解し、活用のイメージを具体的に持って、利用するシステムを選択するというのは無理があるのです。

　それに対して、「CXaaS」のように、まずはシンプルな利用方法でシステムを運用しながら、さまざまな「気づき」を得ていき、その「気づき」から運用にフィットした利用法を見つけていくというのが、現実的で最もリスクが低いIT活用の在り方であると思います。このIT活用の在り方を実現するのであれば、やはり幅広い機能提供が前提となっていることが求められるでしょう。

　また、その機能を持て余すことなく、必要なときに必要な機能を無理なく使えるように「用意」できることも重要です。そして何よりも、やりたいことが出てくるたびに値札が提示されるなら、思ったようなIT活用には至らないのではないでしょうか。システムを使いながら、ユーザー企業と一緒に成長していくためには、機能の充実とコストが高度にバランスをとれていることが求められます。


## 現場から意見を出す文化へ

　現場の担当者が知恵を出して業務や製品、サービスを改善していくマネジメント手法としての "Kaizen" は、日本企業の強みを生む企業文化の一つであると思います。小さな改善の積み重ねが、気づけば競争力の源泉となっていくのです。この強みが、さまざまな要因が絡み合って活かせていないことは、IT活用の分野における大きな損失と言えます。

　それに対して、「CXaaS」はこの状況を打開する一つの方策であると考えています。A社の事例で見られた、運用の中で生まれる「気づき」と、改善のために生まれるシステムへの要求をサービスとして解決できる体制を提供できるからです。DXというと派手で画期的な印象がありますが、DXに求められる「攻めのIT活用」の実践と仮説検証の在り方として、日々の運用における「気づき」に対する小さな改善をIT活用しながら継続することも重要な要素であると考えています。

# 3.6 経営戦略に合わせた システム活用の実現

## 経営戦略には点ではなく線でのIT活用を

ボトムアップ型の改善活動との高い親和性だけではなく、トップダウンでの経営戦略に合わせたIT活用においても、「CXaaS」は有効です。従来のオンプレミス型システムや拡張性に乏しいSaaSの導入は、いうなれば「点」としての経営判断になります。そのタイミングで最も重要視するもの、計画しているものに最適化されたITツールを導入することになります。

一方で、「CXaaS」は導入後も変化を許容します。つまり、導入時点だけではなく、利用中において求められた要件を満たすことが可能になります。結果として、「点」ではなく、連続した経営判断に寄り添うことが可能となる「線」としてのIT活用を実現できます（図3.6.1）。

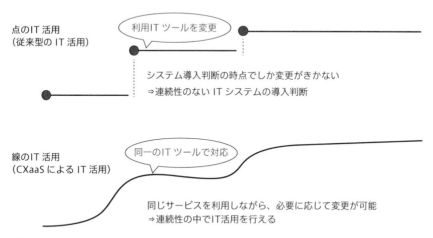

● 図3.6.1　CXaaSにおける点と線のIT活用

近年のビジネス動向の高いスピード感、ITテクノロジーの発達、またコロナ禍に見られたような劇的な社会情勢の変化など、点での判断では十分に対応でき

ない傾向は今後強まることが予測されます。その点において、継続的な「線」としてのIT活用を実現できる「CXaaS」は、経営視点としても有効であると考えられます。

## システム活用のコストが読めるように

経営上、先々のコストが読めることは重要なメリットになります。

運用中に要件の不足が生じ機能の追加が必要になったり、経営戦略上、さまざまなシステム導入が求められシステム連携の開発が頻繁に発生したりすることを想定すると、導入時点では予期できないコストが発生します。「CXaaS」はそれらの必要に迫られた場合も、追加費用を要さずに、大きなコストの影響を考慮することなく対応できます。ついては、単純なサブスクリプション型のランニングコストだけを考慮しておけばよく、突発的なコスト変動のリスクを抑えて利用できます。

またオンプレミス型システムに見られるような、システム更改時期に合わせたリプレイスの予算を組む必要もありません。サブスクリプション型のサービスであるがゆえに、不要となったり、システムの維持が難しい経営状況に陥ったりしても、解約の判断を柔軟に行えます。

このように、コストの見通しのしやすさと流動性の高さは経営上大きなメリットであると言えます。

## 専門性の高いIT人材の用意が不要に

オンプレミス型システムの利用、またはノーコード、ローコードによる自由度を提供する高度なSaaSの利用のためには、システム導入と合わせて高度なスキルを持つ人材が求められます。この場合、経営的な判断としては内製できる人材を自社に求めるのか、またはコストをかけて外部ベンダーに依頼するのかの判断が迫られます。

この課題に対して、「CXaaS」ではサービスとしてFAEがその役割を担うため、SaaS活用のための人的なリソース確保に悩む必要がありません。システム活用のTCOでは見落としがちなこの活用のために必要な人材ですが、外注に払っていた高額な費用も不要となり、自社での求人費用や人材育成のコストも考慮する必要がなくなるのです。

また、ITツールの専門化の傾向を考えると、全てのITツールについて、自社で抱えるITエンジニアによって内製化するという方法はあまり効率的な手段とは言えないと思います。私の勤務する会社が提供するサービスは、CTIという、いわゆる電話に関わるシステムですが、非常にニッチで専門性の高い分野のナレッジが求められます。このような汎用性に乏しい、しかし必要とされる分野のエンジニアを自社で抱えることは、合理的な判断とは言えないでしょう。

## SaaSとして信用を測ることが可能

　「CXaaS」はサービス提供の在り方ですが、市場に向けてはSaaSとして比較検討されることが一般的です。このことも、IT業界が抱える情報の非対称性の課題を解決することに役立つと思います。

　例えば、従来のオンプレミス型サービスで見られたカスタマイズを前提としたシステム導入の場合、要件をとりまとめてITベンダーに実現可否を問うような形で、比較検討が求められました。

　一方で、同じ「可能」という回答であったとしても、全く聞いたこともなく、会社規模も小さいITベンダーに依頼することをためらうことも考えられます。理由としては、開発による具体的なアウトプットのイメージがしづらく、信用に足るかの判断が困難であるためです。実際には知名度の低い小規模ベンダーの方が専門性の高い技術力があったとしても、企業規模が大きな有名ITベンダーに依頼するという状況は当然発生します。この状況はまさしく、ユーザー企業とITベンダーの間の情報の非対称性から生じる不安と、その解消に見られる自然な判断であると言えます。

　また、安かろう悪かろうを嫌って、低価格で良質なサービスをあえて避けるなど、逆選択が発生する可能性があります。

　それに対して、「CXaaS」はSaaSの一種として、まずは製品情報について比較検討されることが多くなります。ついては、サービスに関する具体的な情報を基に評判を評価できます。またサブスクリプション型のビジネスモデルである以上、ユーザーの利用継続が必要です。継続するユーザーが多ければ、SaaSとしての機能に加えて、サービスの提供価値としている自由度の高さやサポート体制なども、偽りのないものであると評価できるのではないでしょうか？

　情報の非対称性による問題への対策として、シグナリングがあります。情報優位者が品質に関する情報を情報劣位者に提示することで、情報の格差を縮小する

というものです。SaaSとしての性質を備えていることによって、契約者数やITツールとしての評判を具体的に確認することができ、経営判断としてのITベンダー選択のリスクを低減できます。

## 導入したシステムのレガシー化を防止

2025年の崖問題で表面化したレガシーシステムの問題は、ユーザー企業がITベンダーに依存する状態に加え、属人性の高いカスタマイズが施されたシステムの利用継続が困難になり、またノウハウについても断絶してしまっていることにより引き起こされた問題です。ある意味、「点」でのIT導入が引き起こした結果ではないでしょうか？

それに対して、「CXaaS」ではクラウドサービスとして継続的に運用していきます。オンプレミス型システムのように、作って、納めて、終わりではないのです。サービスを維持していく上で、ユーザー企業が意識することなくハードウェアや必要なシステム環境は適切な状態にメンテナンスされることとなります。少なくとも、2025年の崖に見られるようなシステムの継続利用が根本的に困難となる、致命的な期限が引かれるリスクは低減されます。

また「CXaaS」ではユーザー個別のカスタマイズを許容しますが、仕組み上このカスタマイズもSaaSとして整合性がとれた形で実現、管理されます。このことにより、サービス構造上、カスタマイズのために開発された機能はその後も他ユーザーへの展開の可能性を考慮することが求められ、作った時点でノウハウが断絶してしまうリスクは低いと言えます。

## 「攻めのIT活用」の体制をサービスとして手に入れる

これまで、経営視点での「CXaaS」利用のメリットをお伝えしてきましたが、やはり本質的な価値としては、DXに求められる「攻めのIT活用」に必要な体制をシステム導入と一体となった形で手に入れることにあると思います。

現在、大企業を中心としてIT人材の積極的な採用が盛んに行われています。この動きも、DXに向けた正攻法であると言えます。一方で、先行投資的な様相は強く、一般的な企業が真似できるのはベストプラクティスの確立後になるのではないでしょうか。というのも、日本のユーザー企業の多くがIT活用および運用を外部のベンダーに依存していたため、ユーザー企業主導でのIT人材の活用、

そしてそのための育成について、不安がないと言い切れる企業は多くはないのでしょう。

　またIT人材と一言で表現されることが多いですが、求められる知識は幅広いものとなります。SaaSに見られるITツールの多様化を鑑みても、プログラミングやプロジェクトマネジメントなどの汎用的な知識だけではなく、各分野における専門性の高い知識が求められるのです。このような各分野における専門化の傾向は、ITに関するテクノロジーの高度化にともなって強くなっていくと思います。

　この傾向に対して、それぞれの分野に特化したITツールとその専門家であるエンジニアのサポートを享受できることは、雇用する人材の最適化と利用するITツールの選択肢の柔軟性を確保する効果が期待できるのではないでしょうか？　そして、このことはIT投資に関する経営判断の負荷を下げ、また経営戦略上必要なITツールを幅広い選択肢から選べることを意味しています。

# 第 4 章

# 「儲けない」ITサービスが
# 儲かる仕組み

# 4.1 　細く入れて、長く稼ぐ

## 従来の儲けていたポイントでは稼がない

　ここまでの内容で、ユーザー企業にとって「CXaaS」によるITツールの提供がたくさんのメリットをもたらし、DXという観点において大きな手助けとなることは理解いただけたと思います。一方で、サブスク型の料金設定の中でFAEという専門エンジニアによる支援体制を用意し、ユーザー企業の要望に対してカスタマイズ作業や、さらには新規開発まで行うという至れり尽くせりのサービスがビジネスとして成立するのか、疑わしく思われる方も多いのではないでしょうか。例えば、サブスク型の料金設定そのものが非常に高額だったり、特殊な条件下のみで成立したりするなど、極めてイレギュラーなサービスモデルではないかと疑われる方もいることでしょう。

　この章では、提供ベンダー側の視点から、ビジネスとして「CXaaS」が成り立つ合理的な理由を説明したいと思います。その理由が、今後「CXaaS」が普及していったときにユーザー企業にとっても安心して利用できる背景を与え、また社会的に「CXaaS」によるITツール提供を後押しすることにつながると考えるからです。

### ■これまでのベンダーと異なるCXaaSの収益スタイル

　「CXaaS」の前提として、これまでシステム提供で当然と考えられていた収益を生む価値提供からは、収益を求めません。

　SaaSの登場以前のシステム提供では、ITエンジニアの稼働に対して費用設定がされていたことは、請負契約、準委任契約でも触れた通りです。仕様の取りまとめ、機能設計、開発作業、ユーザーが利用できる環境の構築など、エンジニアが稼働する作業には価格がつけられていました。これは商売の成り立ちとして、ニーズがあるのだから価格をつけて収益化するというのは自然な考え方だと思います。

　SaaSによるシステム提供では、ユーザーごとの稼働をなるべく排除したシス

テム提供を目指すことで、よりリーズナブルで透明性の高い値付けが行われるようになります。一方で、本質的にはシステム提供に関わるユーザーごとのエンジニアの稼働ニーズがなくなったわけではないため、デリバリーを目的とした外部のITベンダーへの委託などは残り続けています。

それに対し「CXaaS」では、SaaSと同じサブスクリプション型の費用設計により、提供するITツールの継続的な利用の収益で成り立っています。そして、ユーザーごとに求めるエンジニアの稼働を提供しながらも、その行為に値付けはせず、収益を求めません（図4.1.1）。ある意味、太っ腹なビジネスモデルと言えますが、SaaSが抱える根源的なビジネスにおける課題を解決するには、「CXaaS」こそ理想的な在り方であると私は考えています。

| ITベンダー | | ユーザー企業 |
| --- | --- | --- |

**システム利用に求められる多様な支援**

ITツール
デリバリー作業
個別の開発対応
エンジニアサポート

ライセンス費用のみ
~~作業費、保守費、開発費~~

**シンプルな費用設計**

● 図4.1.1　CXaaSのビジネスモデル

## B2BにおけるITツール導入の高いハードルと非効率

ITツール導入における最大の難関は、組織として導入の合意がとれるまでのプロセスです。B2B、すなわち法人を対象にした提案プロセスでは、特定の人物からの評価を得るだけでは不十分で、組織としての承認を得ることが必要になります。よくあるパターンとしては、利用するユーザー部門の担当者が導入プロジェクトの責任者となり、実際に利用する現場メンバーからの意見を取りまとめ、その上での比較検討の結果を経営層に伝えてから承認を経て、導入の合意に至り

ます。このプロセスにおいて、ユーザー企業の担当者とITベンダーの営業との協力関係が必要となり、現場メンバーと経営層を説得するための材料を揃えていきます。

　当然、ITツールの導入に必要な金額が大きくなれば、それだけ慎重な検討が求められ、提案は困難になります。例えば、オンプレミス型のシステム導入では数千万、場合によっては数億の費用が必要になることがあります。このように、高額な投資を求められるITツールが十分に活用できなかった場合のリスクを考えると、担当者を含めて組織として保守的で消極的な判断がなされ、数か月におよぶ検討の末、ITツール導入を断念するということが起こります。

　ユーザー企業側に立てば、この判断も致し方ないと思います。一方で、数か月におよぶ営業活動をしてきたITベンダーからすると、非常に非効率であり手痛いロスとなります。ITベンダー側として、このロスの克服は重要な課題となります。

## ▌サブスク契約が企業にもたらすメリット

　「CXaaS」では、ユーザー企業にとって導入判断しやすい費用設定でITツールを提供することで、このロスの低減を図っています。すなわち、ユーザー企業にとって消極的な判断の要因となる高額な初期投資をなくし、また要望とシステムのミスマッチがあればすぐに利用をやめられるように退路を用意するのです。経営層としても、投資リスクが低いことが前提にあれば、承認をしやすいでしょう。SaaS型のITツールの利用が盛んになっている背景としても、この金銭的な導入判断のしやすさが要因になっていると思います。

　また導入するかどうか判断する際、ユーザー企業としてしっかりと活用できるだけのITリテラシーを保有しているかどうかの不安があると思います。一般的なSaaSでは、専門知識がなくても利用できる、ITツールそのものの利用の簡単さやサポート体制を説明することになります。また必要に応じて外部ベンダーの支援などを紹介することもあり得ます。「CXaaS」ではこの不安の解消において、FAEによる支援体制を説明することで明快に回答できます。

　ITツールの導入提案は非常に高度で難しい交渉です。一方で、このプロセスを通過できなければ、当然として収益化は望めません。「CXaaS」がビジネスとして成立する上で、ユーザー企業にとってITツール導入のリスクを可能な限り低減し、提案する側、検討する側、どちらにおいても導入判断をスピーディに行えるサービス設計をすることは重要な戦略であると言えます。

# 安定した収益基盤となるサブスク型の費用設計

「CXaaS」ではSaaSと同じくサブスク型の費用設計を基本にしているからこそ、従来のシステム提案よりも受け入れられやすく、導入も容易になります。

さらに、サブスク型の費用設計を採用する利点として、安定した収益基盤を獲得することも重要なポイントです。サブスク型のビジネスモデルは、日常生活においてもよく見かけるようになりました。その中の一つに動画配信サービスがあります。ここでは、従来の新作映画の興業と比較して考えてみます。

ラジオに出演していた映画制作の関係者が、映画はバクチだと語っているのを聞いたことがあります。費用をかけて頑張って映画を制作しても、実際に公開して、映画館にどのくらいお客さんが入ってくるかは、まったくわからない。お客さんが入らなければ、当然大赤字になる。これはバクチに近く、そのために企画も慎重にならざるを得ない。だから、一目見てヒットしそうな、無難な映画しか撮れないというような内容でした。

一方でサブスク型の動画配信サービスでは、契約者数から大体の収益の見込みが立ちます。そこから製作費を出すのであれば大赤字のリスクに怯えることなく、より自由に作品の制作費に回すことができるでしょう。結果として、映画としてはなかなか通らないような企画が、動画配信サービスのオリジナルコンテンツとして制作されるようになっています。サブスク型の安定した収益基盤が、企業活動に自由度を与えている例と言えます。

## ■ 安定した収益基盤を確保

この映画と動画配信サービスの関係は、ITツールにおけるオンプレミス型システムと「CXaaS」の関係に近しいと言えます。オンプレミス型のシステム導入においては、受注し続けなければ収益を得られません。だからこそ、各案件でしっかりと利益を確保し、会社運営を安定させる必要があります。

一方で、「CXaaS」では契約ライセンス数から来月の収益のおおまかな見込みが立ちます（図4.1.2）。会社運営としてこの収益をベースに考えれば、エンジニアの稼働に対して都度、価格をつけなくても会社を運営できます。サブスク型の安定した収益基盤が、「CXaaS」の特長であるFAEを筆頭としたエンジニアの稼働について自由度を与えていると言えます。

1 対 1 の価値交換によるサービス提供

収益

サービス

ユーザー企業　　　　　　　　　　　　　IT ベンダー

案件ごとの黒字化が求められる

サブスクによる安定した収益基盤によるサービス提供

収益

サービス

ユーザー企業　　　　　　IT ベンダー　　　　　　ユーザー企業

サービス全体として黒字化すれば OK
サービス提供の柔軟性が増す

● 図4.1.2　サブスク型サービスによるサービス提供の発想

## 長期的な視座に立ったサービス提供

　サブスク型のサービスは、規模の経済性による原価の低減に加えて、継続的な利用によって損益分岐点を超える設計になっていることが一般的です。この傾向は「CXaaS」においても当てはまります。

　例えば導入の判断において、絶対条件となる機能の追加開発作業について費用換算したら、100万円かかったとします。従来のシステム提供の考えであれば、100万円のコストに例えば20万円の利益を乗せて120万円を請求するのが一般的な発想です。これに対して、「CXaaS」では最初に120万円を請求することはしません。

　一方で、このユーザーにサービスを利用継続してもらうことで、毎月10万円の利益があるとします。この前提に立てば、10カ月で損益分岐点を超えて、以降は毎月10万円の儲けが発生します。ユーザー企業にとって、120万円の価値のある機能を追加料金の発生なく（つまり、タダで）提供されるとなれば、導入判断において大きなアドバンテージとなります。また「CXaaS」の提供ベンダーからすれば、利用継続されることで短期的に得られる20万円以上の収益が見

込まれます（図4.1.3）。

　このように、サブスク型費用設計により「CXaaS」は長期的な収支計画を前提にした提案が可能となります。そして、その収支計画を崩壊させるような事態が起きないようにマネジメントすることが「CXaaS」には求められます。

初期開発費に100万円のコストが発生した場合の利益回収モデルイメージ

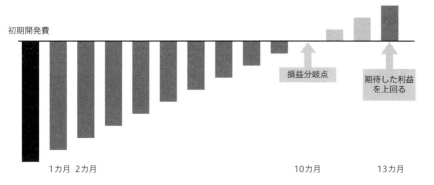

●図4.1.3　サブスク型サービスにおける初期投資と利益回収の関係

## かかる手間暇、コストをいかにマネジメントするかが肝要

　ユーザーへの提案をしやすくすることで収益化までのハードルを下げ、長期的に見た収益を確実に得ていくことを目的とした「CXaaS」は、合理的なビジネスモデルであると思います。一方で、個別のユーザーニーズに対する開発やFAEによるデリバリーを含む人的なテクニカルサポートなど、一般的なSaaSではあえて切り離すことで成立させてきた要素まで定額のサービスとして提供する以上、単純なSaaS提供を上回る合理化と、それに伴う効率化が求められることは言うまでもありません。その実現に向けた成立条件をこれからご紹介していきます。

109

# 4.2 自社の技術を売るからこそ儲けとなる

## 小さな下請け構造による非効率

　「CXaaS」の提供価値として重要な要素である、ユーザーニーズに合わせた開発対応をサブスク型のサービスとして成り立たせるためには、提供するITツールに関する技術を完全に把握し、コントロールできることが必要条件になります。SaaSの場合、外部に委託して開発したITツールを提供するなど、自社として技術を持っていない事業者がITベンダーとしてサービス展開することが可能です。しかし、このような開発とサービス提供の事業者が切り離された構造は「CXaaS」には向かないと考えています。一番大きな理由としては、開発によって発生するコストに開発事業者とサービス提供事業者、双方の収益が毎回上乗せされることがあげられます（図4.2.1）。

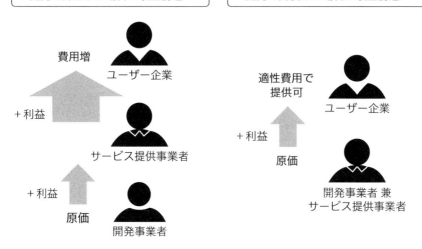

●図4.2.1　外注企業が増えればコストはかさむ

開発のみを担当する事業者は当然、開発による収益によって事業運営を行うこととなります。この場合、開発の依頼を受けるたびに、依頼元のサービス提供事業者への請求が発生するのが自然です。当然、開発事業者としても収益を上げる必要がありますので、依頼元のサービス提供事業者への請求も、単純な作業コストよりも高額になることでしょう。

このような構造の中で、「CXaaS」に求められる高頻度の開発作業は、事業運営上大きな負担となります。開発事業者、サービス提供事業者の2社分の収益を出すことが求められるのです。この状況は、請負契約による関係だけではなく、準委任契約を想定した場合も同様の問題に直面します。いわば、小さな下請け構造というような状況ですが、この下請け構造によるロスは「CXaaS」の実現において不利に働きます。

## 外部事業者に依存することで失われる自由度

開発とサービス提供の事業者が分かれるパターンとしては、海外のITツールをローカライズするというケースが考えられます。この場合も、契約形態に違いはあれ、利益の一部を継続的にシェアし続けることが求められる可能性が高いと言えます。その場合も、やはり開発事業者とサービス提供事業者が分かれることによる収益上の非効率が発生します。

また、「CXaaS」の提供を想定した場合に問題となるのは、ユーザー企業の要望の実現について、常に海外にある事業者に確認が必要なことです。そして、もし要望を断られたとしても、海外の事業者の見解として受け入れるしかありません。別の方法でユーザーニーズを満たせたとしても、海外の事業者から提示されない限り、サービス提供事業者としては、その方法にたどりつく可能性は低いと言えます。この状況は、開発を外注した関係においても同様に発生します。

情報の非対称性における「隠された情報」による非効率の結果と言えますが、結果として「CXaaS」の長所である高い自由度を発揮できない状況が常態化する可能性があります。

## 「攻めのIT活用」に求められるスピード感の欠落

外部事業者に依存することのリスクを中心に紹介してきましたが、事業者間で非常に良好な関係を構築できたとしても、構造的に「CXaaS」への適性は高く

ないと私は考えています。

　「CXaaS」が提供するIT活用のメリットは、連続した改善を継続していくことにあります。DXに求められる要件の一つでもあり「攻めのIT活用」でも語られる「試行錯誤のプロセスを実現できること」も、このメリットにあたると思います。このメリットにおいて、スピードは重要な価値を持ちます。試してみたアクションが良い結果ではなくむしろマイナスであった場合、当然早く次の手を打ちたいと思うはずです。次のアクションまでに時間がかかるのであれば、慎重に計画を立てる必要があります。そうなれば、「攻めのIT活用」というよりも「守りのIT活用」に見られる計画性の重要度が増していくことでしょう。

　このように、試行錯誤とそのサイクルの速さ、すなわち検討と開発のスピードは表裏一体です。

　では、そのスピードを担保するにはどのような方法があるでしょうか？ さまざまな方法が考えられますが、仕組みをよく理解している人に直接相談することが早いと思います。しかし、これがサービス提供事業者と開発事業者が分かれていては実現しません（図4.2.2）。伝言ゲームに見られるまどろっこしいやりとりが生まれる可能性が高く、非効率なコミュニケーションが予測されます。「攻めのIT活用」において、このコミュニケーションにおけるロスは致命的となる可能性があります。

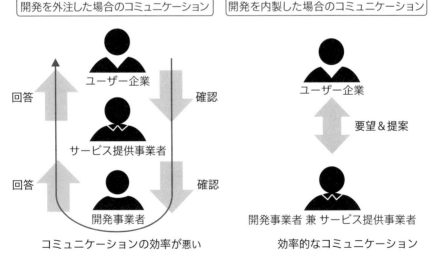

●図4.2.2　開発外注構造によるコミュニケーションの非効率

## ノウハウ蓄積の重要性

　「CXaaS」における開発体制の完全内製化を推奨する理由の一つに、ノウハウ蓄積による効率化があります。一見、百社百様にも思えるユーザー企業のニーズですが、提供するITツールという軸からすると、実は似通った内容や応用で対応できるものが多く存在します。結果として、「CXaaS」を継続的に提供していくと、新しいチャレンジとなる大変な開発作業は徐々に減っていき、既存の機能の転用や応用で対応できる内容が多くなっていきます。

　このナレッジの蓄積による効率化の効果は、ユーザーニーズに全て対応するという、一見無謀な大風呂敷を現実のものとする上で重要なカラクリとなります。皆さまも仕事に慣れていくことで効率が良くなっていくことを経験されたことがあるかと思いますが、これは「経験曲線効果」とよばれる経験則となります。「経験曲線効果」とはノウハウの蓄積により作業効率が高まり、単位当たりのコストが低減する現象を指します（図4.2.3）。

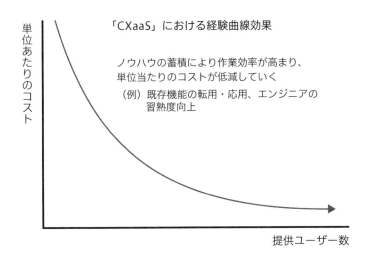

「CXaaS」における経験曲線効果

ノウハウの蓄積により作業効率が高まり、
単位当たりのコストが低減していく
（例）既存機能の転用・応用、エンジニアの
　　　習熟度向上

単位あたりのコスト

提供ユーザー数

● 図4.2.3　「CXaaS」における経験曲線効果のイメージ

　しかし、これが開発事業者とサービス提供事業者が分かれて運用する場合はどうでしょうか？　下請け構造に見られるノウハウの分断が予測されます。またこれまでの開発に関わるノウハウを蓄積した開発事業者が何かの理由で離脱した場合、サービス提供事業者としては大打撃となるでしょう。「CXaaS」サービスの

運営を実現するノウハウ蓄積による効率化の恩恵を最大に受けるため、また経営上のリスクを低減するために、開発体制まで完全に内製化するメリットは大きいと言えます。

## エンジニアの人件費＝固定費化するメリット

　「CXaaS」を成立させるためのコスト構造からも、完全内製化の重要性があると言えます。それは、ユーザー企業にとっては厄介なエンジニアの固定費化が、「CXaaS」運営をする事業者にとってはメリットに働くからです。例えば、これから「攻めのIT活用」を経営的な目標と掲げたときに、雇用したITエンジニアに対して今後途切れることなく、かつ適正な作業量で仕事を分配していくことが可能であると言い切れる会社はどの程度あるでしょうか？　この問いに対して自信を持って回答できる企業は多くなく、結果として日本で見られるITベンダーへの外注文化が発達してきたと言えます。

　一方で、「CXaaS」を提供するITベンダーにとって開発体制を内製化し、エンジニアの人件費を固定費化することは、圧倒的にメリットがあります。内製化できずにユーザー企業ニーズによる開発作業が頻発し、都度変動費として外注コストが発生するのであれば、開発作業について追加費用不要などとは言ってはいられません。

　また、開発に関わる費用の固定費化は、「CXaaS」成立における経済効果、規模の経済性を生む重要な要素でもあります。

## 「規模の経済性」と「経験曲線効果」の相乗効果

　SaaSに見られる規模の経済性による原価低減の効果は紹介した通りですが、開発作業にかかるコストも固定費化することで、「CXaaS」では最大限、規模の経済性による恩恵が受けられることになります。これに、経験曲線効果による効率化が噛み合うことで、一見、利益を度外視したビジネスモデルである「CXaaS」が、しっかりと成立できる理由となります。

　「CXaaS」によりサービスを提供するユーザーが増えれば増えるほど、規模の経済性が働き、固定費にあたるエンジニアの人件費の影響は小さくなっていきます。またユーザーに要望をもらって対応すべき開発作業にかかる労力は経験曲線効果によって低減し、より少ないエンジニアで多くの作業をこなせるようになっ

ていきます。

　規模の経済性と経験曲線効果、この二つの相乗効果により、「CXaaS」を支える原価構造は高度に合理化されると言えます（図4.2.4）。

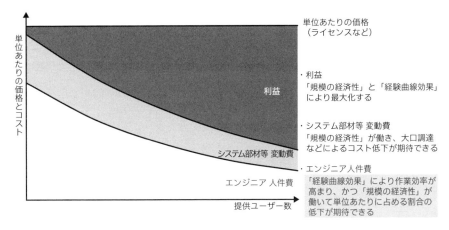

単位あたりの価格とコスト

提供ユーザー数

単位あたりの価格
（ライセンスなど）

利益

・利益
「規模の経済性」と「経験曲線効果」により最大化する

システム部材等 変動費

・システム部材等 変動費
「規模の経済性」が働き、大口調達などによるコスト低下が期待できる

エンジニア 人件費

・エンジニア人件費
「経験曲線効果」により作業効率が高まり、かつ「規模の経済性」が働いて単位あたりに占める割合の低下が期待できる

● 図4.2.4　「CXaaS」における規模の経済性＆経験曲線効果のイメージ

## エンジニアの仕事が途切れないことが価値に

　これまでご紹介したように、「CXaaS」は自社のエンジニアによる技術の内製化のメリットが大きいビジネスモデルです。

　日本企業特有の流動性に乏しい雇用環境により、ユーザー企業がエンジニアを直接雇用することは、人材を持て余すリスクが伴います。一方で、「CXaaS」においてはそのリスクは低いと言えるでしょう。「CXaaS」の性質上、内容の大小を問わず常に開発要件が依頼される状況となり、エンジニアの稼働状況は一定の水準を維持することになります。そして、エンジニアが稼働している状況であれば、少なくともサービスの利用継続意思があり、またユーザーニーズを満たすアクションでもあるため、解約抑止の効果も期待できます。

　ITツールを提供する事業者、特にSaaSを提供するITベンダーからすれば、手離れの悪い「CXaaS」のビジネスモデルは特異に映るかもしれません。一方で、カスタマーサクセスの機能として捉えると、下手にスリム化を図って試行錯誤するよりも、実は手っ取り早い方法であるとも言えます。

# 4.3 特定分野への専門化で輝く CXaaS

## 多角化よりも専門化が成功の鍵

　「CXaaS」はSaaSによるITツール提供をベースとして、定額費用内で開発対応を提供するサービスモデルです。「CXaaS」によるシステムを提供する中で、特にサービスの知名度が低いときに多かった誤解として、システム開発に関する「何でも屋」だと思われていたことがあります。

　例えば、コムデザインではCTI、いわゆる電話に関わるシステムを「CXaaS」で提供していますが、あるユーザーから今度は会計システムを作ってほしいとの要望をいただいたことがあります。システムの開発力を評価していただいての申し出ですが、こうした要望についてはお断りします。理由は、開発エンジニアが会計システムを作れないからではありません。個別の請負契約で収益を得るよりも、「CXaaS」として専門分野に特化したITツールを開発する方がビジネスとして合理的であるからです。

　「CXaaS」を提供できる事業者は、開発体制を内製できている、ITに関する技術力の高い集団であることが予測されます。能力としては、その気になれば、ユーザーから求められる開発要件に対応できることが考えられますが、多角的な開発対応を請けることは極力避けるべきだと考えます。

　多角化とは、言い換えればまったく経験のない分野へのチャレンジを意味します。ユーザーが何を求めているのか、どんなところにリスクが隠れているのか、知識がないままの対応となります。当然、経験曲線効果による効率化の恩恵も薄く、毎回大変なプロジェクトとなることでしょう。しかも、その経験を次に活かせる案件の期待値は低いものとなってしまいます。

　「CXaaS」においては、SaaSとして提供するITツールに関して、ユーザーのニーズを満たすための開発は積極的に対応することが価値となります。そして、苦労して開発した機能や経験を次の案件へと連鎖させることで、開発による単純な収益以上の価値を持つノウハウを蓄積していくのです。

　この原則に立てば、「CXaaS」を成立させるために特定分野のITツールを専門

として展開していくことが正攻法となります。

# 「CXaaS」における専門分野の区別とは

　「CXaaS」によるITツールの展開を検討している事業者にとって、ターゲットとする市場や、ITツールのカテゴリーは十分に検討が必要となります。当社の場合は、「CXaaS」で提供するITツールの市場はコールセンターを持つ事業者であり、ITツールのカテゴリーとしてはCTIとなります。

　最近はB2Bのシステム導入においても、Webによる比較サイトを参考にすることが一般的です。ITツールのカテゴリーに該当する製品、サービスがまとめられており、CRMやSFAを筆頭に、掲載カテゴリーは多岐にわたります。「CXaaS」で求められる専門化の基準についての一つの目安としては、比較サイトにどう載るかをイメージするといいでしょう。各ITツールの主要機能として、求められる要件や役割が整理されています。

### ■ 専門分野とする領域の切り分けが必要

　複数のSaaSで提供されるITツールを機能連携しながらの利用が一般的になることで、ユーザー企業からすると、どの機能までがどのITツールのカテゴリーか判断しづらい環境になりつつあります。例えば、私の会社が提供するCTIはCRMと一緒に利用されることが一般的です。ユーザー企業からも、CTIとCRMの要件が区別されずに依頼されることが多々あります。この際に、「CXaaS」としてユーザー要望に対応する範囲はCTIに関する要件です。CRMに関する要件は、機能連携先のCRMを提供するITベンダーに相談することを案内します。「CXaaS」の提供において専門分野とそれ以外の切り分けは重要な作業となります。

# 経験を積み重ねることで説得力が増す

　専門化の恩恵として、その分野において厚みのあるサービスとして成長していくことがあげられます。「CXaaS」では特定の専門分野に限定する形で、ユーザーの要望に応えていきます。ユーザーが増えていく中で、そのニーズをひたすら実現し続けていくことが求められ、その過程で専門とするITツールカテゴリーの中において機能が充実していきます。ある程度サービスとして成熟してくると、

同カテゴリーの他ITツールと比較しても高機能なサービスとして分類されるようになっていきます。

　また成長していくのは機能だけではなく、提供に関わるエンジニアについても同じことが言えます。顧客からのニーズを受け取ったときに、はじめて取り組む要件であればユーザーと共に試行錯誤しながら理想形に近づける作業が必要になりますが、二度目以降、似たような要件があれば自信を持って、経験から最短での解決策を提案し、すでに開発済みの機能を提供、もしくはアレンジによって対応できるようになります。

　このような経験に基づいた自信のある状態が実現すると、ユーザーへの提案段階において、大きな強みとなります。説得力ある解決策の提示が、過去に開発してきたITツールの多様な機能だけではなく、エンジニアの経験に基づく厚みをもって説明できるようになるためです。

## CMMIに見るCXaaS提供組織の成熟

　「CXaaS」は専門分野に特化することで、ITツールとしての機能発展だけではなく、関連する開発体制、また提供に関わるプロセスの成熟も織り込んで運営されるべきサービスモデルだと言えます。

　組織の成熟推移のイメージを掴むために参考になる評価モデルとしてCMMI（Capability Maturity Model Integration）[1]があります。CMMIではソフトウェアの開発組織を成熟度レベルとして評価し、各レベルの組織特性を定義しています。CXaaSビジネスを展開するには必ずしもCMMIに則した運営が求められるわけではありませんが、目指すべき指針として十分に参考になるものでしょう（図4.3.1）。

　「CXaaS」での黎明期においては、まさしくレベル0で定義されているようにプロセスは確立されておらず、場当たり的な対応となります。それがレベル2で定義されているように、課題はあるものの、徐々にプロセスが確立していき、レベル3の標準プロセスが確立された状態になります。以降はレベル4、レベル5と、よりプロセスとしては洗練されていき、最適化された状態となります。

　「CXaaS」においては、SaaS提供と同じ手軽さで、ユーザーごとの開発作業、ひいてはプロジェクトが発生します。実践に勝る経験はなしと言いますが、

---

＊1　ISACA "A Culture of Continuous Improvement, Maturity Levels"
https://cmmiinstitute.com/learning/appraisals/levels

CMMI認定を目的としなくても、プロセスは「CXaaS」を提供する組織の中でブラッシュアップされていきます。また専門分野に限定することで、組織の成熟を早める効果が期待できます。

| Maturity Levels | 成熟度の段階 |
|---|---|
| Maturity Level 0: Incomplete<br>Ad hoc and unknown. Work may or may not get completed. | 成熟度レベル0：未完成<br>場当たり的で未知の状態。仕事は終わるかもしれないし、終わらないかもしれない。 |
| Maturity Level 1: Initial<br>Unpredictable and reactive. Work gets completed but is often delayed and over budget. | 成熟度レベル1：初期<br>予測不可能で即興的。作業は完了するが、しばしば遅延し予算を超過する。 |
| Maturity Level 2: Managed<br>Managed on the project level. Projects are planned, performed, measured, and controlled. | 成熟度レベル2：管理<br>プロジェクトレベルで管理されている。プロジェクトは、計画、実行、測定、および制御される。 |
| Maturity Level 3: Defined<br>Proactive, rather than reactive. Organization-wide standards provide guidance across projects, programs, and portfolios. | 成熟度レベル3：定義済み<br>即興的ではなく、予測可能。組織全体の標準は、プロジェクト、プログラム、およびポートフォリオ全体のガイダンスを提供する。 |
| Maturity Level 4: Quantitatively Managed<br>Measured and controlled. Organization is data-driven with quantitative performance improvement objectives that are predictable and align to meet the needs of internal and external stakeholders. | 成熟度レベル4：定量的管理<br>測定と制御。組織は、予測可能で、内部および外部の利害関係者のニーズを満たすように調整された定量的なパフォーマンス改善目標を備えたデータ駆動型である。 |
| Maturity Level 5: Optimizing<br>Stable and flexible. Organization is focused on continuous improvement and is built to pivot and respond to opportunity and change. The organization's stability provides a platform for agility and innovation. | 成熟度レベル5：最適化<br>安定性と柔軟性。組織は継続的な改善に焦点を当て、方向転換し、機会と変化に対応するように構築されている。組織の安定性は、アジリティとイノベーションのためのプラットフォームを提供する。 |

出典）ISACA "A Culture of Continuous Improvement, Maturity Levels"

● 図4.3.1　CMMI「成熟度レベル」（※和訳は著者によるもの）

## 未経験からもエンジニアとして活躍できる業務提案

　実践を通して成熟するのは組織だけではありません。私の会社で共に働くFAEには、前職からSE経験が豊富な人もいれば、まったくない人もいます。CMMIモデルでいうところのレベル1の組織であれば、汎用的なSEスキルは重要な意味を持つことは間違いありません。しかし、成熟した組織になれば確立したプロセスに従って、実践と経験を積んでいくことで無理なく成長していけます。また「CXaaS」の提供においてFAEに求められる開発作業はノーコード、ローコードを用いるため、高度なプログラミングスキルは不要です。

　「CXaaS」の提供において、エンジニアは必要不可欠な存在です。その不可欠な人材を特殊な才能や経験に頼ることなく、適性のある人物から幅広く採用できることは、「CXaaS」によるビジネスと組織が健全に成長する上で必要な要素です。

## 専門性の高い組織こそが競争力の源泉へ

　「CXaaS」は自由度の高いITツールの提供だけではなく、提供する組織そのものについても価値を持つようになっていきます。専門分野に特化してビジネスを展開していくと、専門家集団としての価値が生まれます。その結果、同じITツールカテゴリーにおける競合企業からも、一目置かれるような存在となる可能性が高くなります。

　ユーザー企業がITツール導入を検討する際に、SaaSで要件を満たすサービスがない、オンプレミス型ではコストが見合わない、と八方塞がりの状況になることがあります。そんな時、困り果てているユーザー企業を気の毒に思い、競合企業の担当者から、ライバルであるはずの私の会社を紹介していただくという経験が何度かありました。ある意味、駆け込み寺の役割となり、複雑かつ高度な要件が多かったですが、今では貴重な経験を積む機会だったと思います。

　当時はまだ、「CXaaS」という言葉は普及していませんでしたが、競合企業から見てもユーザー企業のニーズを実現する技術力と独特のサービスモデルを評価していただいていたものだと考えています。

　技術力に特化した組織であることは、口コミなどで自社でしか対応できない案件の流入が期待できるようになります。結果として、技術力、開発力に特化した組織がマーケティング的、営業的な競争力を得るようになるのです。

# 4.4 お金にならない
# 営業的交渉

## お金になるまでに時間がかかるシステム提案

　B2Bにおけるシステム導入が大変なことは、これまでにもお伝えした通りです。この大変さはユーザー企業のみならず、提案する側のITベンダーにおいても同じです。

　B2Cにおける提案であれば、提案する先と決裁者が一致しているケースがほとんどです。それに対して法人を相手にした提案の場合、意思決定までに複数の関係者との調整をした上で、最終的な決裁を得る必要があります。またシステム導入の検討においてはRFP（提案依頼書）やRFI（情報提供依頼書）を用いた要件確認が行われます。それらの作成についてのユーザー企業の苦労はこれまで述べた通りですが、それに対して回答するITベンダーにとっても、それなりの負担があります。

　このように、B2B、特にシステムに関する検討プロセスは複雑で慎重なのが一般的であり、検討が長期におよぶことも一般的です。結果、ITベンダーに求められる労力は相応に高いものとなります。

　言い換えれば、ITベンダーにとってみればお金になるかわからない状況での仕事の負担が高く、またその仕事をやりきらなければ収益にはいたらない構造に問題があると言えるかもしれません。

## 揺れ動くユーザーニーズに翻弄される見積もり

　B2Bでのシステム提案の営業活動では、ユーザーとの金額的な調整は重要な役割となります。RFPに合わせた機能を提案するだけではなく、最終的にはいくらでできるかが重要になることは言うまでもありません。そして、ありがちなことはユーザー企業が意図した内容と、ITベンダーとの理解の相違から生まれる見積もりの修正です。また事前に提示された依頼内容の齟齬だけではなく、提案の過程でも要件が変化することはよくあります。検討の過程で、さまざまな

ITベンダーからのインプットを受けることで、ユーザー企業の担当者の知識やイメージは当然膨らみ、変化していくからです。

　結果として、いつまで経っても要件が定まらず、見積もりを何度も出し直し続ける状況が起こりえます。

## ITベンダーにおける営業フェーズの重要性

　このように、検討段階において変化するのがシステム要件です。ユーザー企業の求める内容に沿って提案する上で、提示された資料で認識齟齬が生まれそうな内容についてはヒアリングを行い、できるだけ正確に情報を収集することはITベンダーの腕の見せ所です。

　しかし、営業戦術によっては、競合他社をふるいにかける段階では認識の齟齬などは気にせず色よい回答に終始し、競合他社との比較を有利に切り抜け、詳細要件を詰めていく段階でユーザー企業からの提示漏れを指摘しながら、後から見積金額を修正し、うまいことクロージングに持ち込むようなことも当然考えられます。ユーザー企業にとって良い対応とは言えないかもしれませんが、ITベンダーなりの正当性があるやり方です。

　一方で、生真面目で要領の良くない営業担当者の場合、ユーザーの後出し要件に対して都度見積もりを作り直し、後出し要件であることを棚上げして上振れの理由を叱責されながら、少しでも安く見積もりを提示するために、社内調整に苦心することも見受けられます。

　このように、見積もりの出し方ひとつを取っても、ユーザー企業にいかにスムーズに受け入れられるかを左右する、営業フェーズの重要性が垣間見えます。しかしながら、このフェーズでの交渉テクニックが実際に利用するシステムの本質的な価値に与える影響は少ないと言えます。

## 見積もり作成のためにはエンジニアリソースも消耗

　見積もりを出すのも大変ですが、見積もりを作るのも大変です。SaaSに見られる費用設計のようにオプションやエディションとして提示されている範囲の機能だけであれば、営業担当者のみの判断で見積もり作成が可能です。しかしオプションにない機能の提供を条件に採用が決まるという話が出てくるのであれば、営業担当者としては藁にもすがる気持ちでエンジニアに相談することは自然で

す。このようなやりとりは、SaaSの登場以前からあるパッケージソフトへの追加開発においても、よく見られたのではないでしょうか。

　一見、なんの違和感もないやりとりですが、収益化以前の営業フェーズにおいてエンジニアという貴重なリソースを消費することになります。エンジニアとしても相談を受けた機能の開発について適当に値段をつけるわけにはいかないので、実現するためにどういう風にやればいいんだろうと算段をします。ここで簡単な設計に近い検討作業が必要になり、エンジニアのリソースが収益に結び付かない作業に割かれることになります。

　その上で、必要な工数を割り出して値段をつけていくわけですが、ここまでいくと立派な仕事です。契約において見積もりは重要ですが、収益を生むことはありません。しかし、その作成において相応の負担が求められるのです。

## お金でこじれる信頼関係

　一般的には、ユーザーからのニーズをエンジニアは営業経由で聞いているだけです。この関係において、システム導入の計画前に正確にエンジニアが要件を理解して算段をつけることは困難です。検討すべき内容が複雑であれば、後から必要な工程や作業に気付き、見積もりの修正が必要となることも考えられます。

　このような形で、二度三度と見積もりの額が変わると、ユーザー企業の担当者が社内調整を進める上で問題となります。当然、ユーザー企業の担当者としては、余計な手間を増やしたことに対して不満を募らせ、ITベンダーの営業担当も事情を説明しなくてはいけません。場合によっては、プロジェクトを白紙に戻すことが強いられることもあり得るでしょうし、ITベンダーが責任を取る形で赤字のプロジェクトが生まれることさえあります。さらに最悪なのは、営業担当者とエンジニアの関係も悪化することです。

　IT導入におけるトラブルの主要な理由の一つにコストがあげられている通り、お金はビジネスにおいて欠かせない要素であると同時に、トラブルの種でもあります。

## 営業的交渉を諦めることで無駄をなくす

　システム提案の営業活動には二つの役割があると思います。一つ目はシステムの魅力を伝えること。二つ目はユーザー企業との利害を調整することです（図

4.4.1）。これまでご紹介してきた内容は、主に二つ目の内容、つまり費用を軸とした利害調整に関する負担と問題でした。営業的交渉において二つ目の役割を重視すると、うまくいけばITベンダーとしては損をせず、より少ない労力で大きな利益を生むことが期待できます。しかし、この営業フェーズが抱える根源的な課題としては、そもそも利益を生まない活動であるということです。

## 魅力を伝える　　　「利害」の調整
ニーズの発見と充足　　　企業としての利益最大化

● 図4.4.1　システム提案における営業担当者の役割

「CXaaS」においては、営業活動における利害調整に関わる交渉をあえて放棄することによって、営業活動そのもののスリム化を図ることを戦略としています。つまり、見積もり作成において工数計算などは要さず、シンプルな費用設定のみを提示し、またユーザーが求める機能要件が変動したとしても追加の費用を考慮する必要はありません。システム提供による売り上げは、サブスク型のライセンス費用のみと割り切ることで、費用交渉に関する営業コストを削減するのです。「CXaaS」の営業活動において、見積もり作成は非常にシンプルで楽なものとなります。

多様なユーザーニーズに対しては、提供可否を確認するだけでよく、工数計算による費用算出は必要ありません。つまり、営業活動の一つ目の役割である魅力を伝えることに専念できるのです。「CXaaS」の一見太っ腹なシステム提供を成立させる理由の一つとしては、収益化しないシステム提案特有の営業コストの削減があります。

# 4.5 顧客接点にこそ エンジニアを置く

## FAEは営業フェーズから積極的に関わっていく

　システム提案におけるユーザー企業との利害調整機能を排するメリットは、営業という役割に高度な交渉能力が不要になることです。極論としては、営業職という専門の役割を設ける必要がなくなるのです。

　CXaaSにおいて、FAEは提案段階から顧客との窓口として対応します。またユーザーに対しては営業として紹介される人員も、FAEとしての基本的なスキルを兼ね備えていることが理想です。つまり、CXaaSでは営業段階からエンジニアが窓口となる体制が理想的なのです。

　一般的なITベンダーからすれば常識外れと思われるかもしれませんが、システム提案の経験がある方はその有効性に気付くのではないでしょうか。例えば、優秀な営業担当者は、提案するITツールの技術的な側面も理解していることが多いと思います。表面的な知識だけではどうしても顧客との折衝において即答することができず、顧客からの信頼を勝ちえないためです。

　利害調整のテクニックを無視できるのであれば、ITツールの魅力、つまりユーザーにもたらすメリットを語るのはエンジニアが最適と言えるのです。

## フォードの速い馬

　エンジニアを顧客接点に置く理由としては、営業段階で単にユーザーのニーズを聴取するだけでは不十分であり、手段の提示を目的と考えたときにコミュニケーションに特化した人材よりもシステムに精通した人材の方が有利だからでもあります。

　自動車王ヘンリー・フォードの言葉に、次のようなものがあります。

*もし顧客に、彼らの望むものを聞いていたら、*
　*彼らは「もっと速い馬が欲しい」と答えていただろう。*

125

ユーザーが欲しいとイメージするものが必ずしもユーザーニーズを満たす最適な手段とは限らない、ということを端的に表した一言になります。

　システム提案においても、この発想は極めて重要です。ユーザーが要求した難解なシステム要求を紐解くと、しばしばより簡単で効率的な方法で解決できることがあります。ユーザーは速い馬が欲しいと言っていますが、本質的に求めているのは優れた移動手段なのです。この紐解きの作業で求められるのは、幅広い知識と、そこから導きだされる最適な方法の提案です。

　もし、知識がなく愚直にユーザーの言うことに従うと何が起きるでしょうか？速い馬を探し回る、困難な仕事に振り回されることになるでしょう。システム提案において、この困難な仕事が生むロスを防ぐためにも、エンジニアが提案段階から折衝に参加する意味があります。

## 馬を求める営業とエンジニアの摩擦

　求められる手段と最適な手段のギャップは、営業とエンジニアを分断する要因にもなります。ユーザーがその手段を求める背景を知らなければ、最適な手段を提案できません。

　例えば、営業が何も考えずにユーザーに言われるがまま、「速い馬を欲しているからなんとかしてほしい」とエンジニアに泣きついたとします。エンジニアもなんとかしてあげようと、自動車の存在を教えてくれるかもしれません。これに対して営業が、「馬じゃないから、これではお客さんは満足しない」と言ってきたらどうでしょう？　エンジニアとしては、力なく笑うしかないのではないでしょうか。笑い話のようですが、程度の差はあれ、営業とエンジニアの知識差がある場合、近しいコミュニケーションが発生する可能性があるのです。

　またエンジニアとしても自分の提案の責任をとられる事態は望んでいません。営業とエンジニアの関係が冷め切ってしまっている場合、「そんな馬はいない」の一言でやりとりは終了してしまうのではないでしょうか。

　このような状態が発生してしまうと、営業に求められる役割である魅力を伝える活動に支障が発生します。営業は売ること、エンジニアには作ることという役割分担の結果、システムに関する知識に差が生まれ、結果として営業活動における機能不全が発生するのです。

## ユーザーニーズを知り、技術も知るFAE

　担う役割が異なれば、思惑も違ってくるのは当然でしょう。営業からすれば、馬でもなんでも売れればいい。エンジニアからすれば、馬探しなんかやりたくない。企業として、このようなコンフリクトの解決は悩ましい問題となります。このコンフリクトの構造的な解消として、FAEという一つの役割で完結するというのが「CXaaS」の基本設計です。

　エンジニアが直接ユーザーの話を聞くことになりますので、提案の段階から技術的に最適化された提案ができます。提案段階で営業からエンジニアへの確認作業を大幅に簡略化でき、開発エンジニアへの確認も基礎となる知識が前提としてあるため、致命的なディスコミュニケーションは起こりづらいと言えます。

　また、人材の偏りを構造的に克服することも期待できます。受注が立て込み、エンジニアの稼働がとれなくなると、営業としては新規の提案が難しい状況となります。逆に、新規の受注がない状況ではエンジニアの作業は減り、人材を持て余す可能性が出てきます。これに対して、FAEというマルチロールな人材としての確保が可能であれば、その時に求められる役割に投入できます。

　「CXaaS」を成立させるには、このFAEのマルチロール化による組織的な効率の高さは重要な要素です。


## ユーザーとの利害調整交渉を最小限に

　では一般的なITベンダーが理由もなく営業とエンジニアを分けた組織を運営しているのかというと、そうではないと思います。システム提案における営業活動は顧客と自社との利害調整という高度なコミュニケーションが求められます。このコミュニケーション負荷をエンジニアに転嫁するという発想は現実的ではないでしょう。

　それに対して、「CXaaS」では営業活動に求められる利害調整交渉を最小限にします。あらゆる機能、開発対応に対してお金の交渉は発生しません。ユーザーとの交渉は技術的な提供の可否に関する内容のみとなり、この分野の交渉ではエンジニア的な素養が重視されます。

　求められる機能をどのように提供するか？　それを突き詰めることが「CXaaS」における営業活動の本質となります。そして、そのためにはエンジニアが前面に位置することが望ましいのです。

# 4.6 ユーザーニーズが生み出す発明

## 形にして見せても、顧客は欲しいものがわからない

　ユーザーは自分の課題や困っていること、つまりニーズに対して適切な手段を想像することが難しい。この問題を端的に表した「フォードの速い馬」をApple の創始者であるスティーブ・ジョブズは、好んで引用していたと聞いたことがあります。彼は「多くの場合、人は形にして見せてもらうまで自分は何が欲しいのかわからないものだ」とも言っています。この一言は彼が世に送り出したiPhoneを筆頭としたイノベーティブな製品群の根底にある考え方をよく表していると思います。

　できれば、スティーブ・ジョブズのようなクリエイティブな発想から世が驚くITツールを送り出し、華々しい成功を収めたいと考えているベンチャー企業も多いことでしょう。しかし、B2BのITツールにおいて、革新的なアイディアでヒットを生み出すことは容易ではありません。これまでご紹介してきた通り、企業におけるITツールの導入のためには業務改革が伴います。ITベンダーが形としてITツールの機能やもたらすメリットを示したとしても、ユーザー企業が簡単に受け入れてくれるとは限りません。ユーザー企業それぞれの事情があり、その事情が優先することで、必要なITツールの導入が見送りとなることが起こりうるのです。

　このことから、B2BのITツールの拡販においては、形にして見せるだけでは不十分と言えるかもしれません。また、最大公約数的に多くのユーザー企業に受け入れられるITツールを生み出すことは難題と言えます。

## 機能開発における逡巡

　システムにおける機能開発は大変な作業です。時間も手間もかかるので、無駄になる可能性が少しでもあれば、やりたくはないはずです。だからこそ、開発方針の決定は、多くの場合、慎重な検討の結果として行われるのが一般的です。特

にマーケティング志向の機能開発であれば、その傾向は強くなるでしょう。

　例えば、ユーザーへのアンケートなどデータに基づいてペルソナを設定し、要件整理を行うマーケティング志向のアプローチから開発方針を定める手法が考えられます。合理的なプロセスと言えますが、確実に需要のあるアイディアに行き着くヒントが得られるとは限りません。ユーザーが持つ知識や理解の範囲での回答に留まるからです。実際にユーザーと接する営業担当者からは、本当にユーザー企業がコストを払ってまで欲しがるとは思えないと、反対意見が出ることも考えられます。

　また営業担当者から、競合他社のサービスに備わっている機能を優先的に開発していき、機能面での差をなくすという提案があったとします。しかし、それらの機能が競合他社の競争力になっているかというと、感覚的であり、信用に足らないという反対意見がマーケティング担当者からあがるかもしれません。

　マーケティング志向の機能開発とは、潜在的ニーズへのアプローチと言えます。潜在的である以上、具体的に捉えることは難しく、仮説を基に判断していくことが求められます。この抽象的なテーマに対して、マーケティング、営業、開発それぞれの立場から納得できる回答を打ち出すとなると、並大抵な調整負荷ではなくなってきます（図4.6.1）。

● 図4.6.1　マーケティング志向の機能開発のイメージ

## 「CXaaS」のシンプルな約束事、なければ作る

　「CXaaS」では、ユーザーが欲しい機能は作るというのが基本です。ユーザー企業から要望を受け、合理的な内容であれば、たった1社のニーズであったとしても開発します。開発作業の判断に対して、収益性やマーケティング的な波及効果などは一切考慮することなく、提供するITツールとして開発の必然性があれば開発するのです。

このシンプルな原則がFAEを筆頭として組織内に共有されていると、開発エンジニアもあれこれ考える必要なく、開発作業に臨むことができます。議論として、やるか？ やらないか？ の判断は不要となり、どうやるか？ に集中できるのです（図4.6.2）。この開発に関する意思決定プロセスの単純化は開発にとりかかるまでのスピードを向上させ、効率的な組織運営に効果を上げることが期待されます。

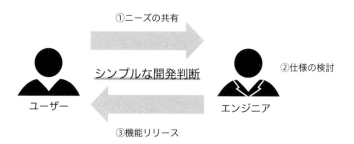

●図4.6.2　CXaaSの機能開発のイメージ

## 徹底的なマーケットイン発想

　仕事柄、私はさまざまなITツールと触れ合うことがあります。非常に優れたコンセプトを持ったSaaS提供のITツールが売り出された後、なかなかユーザーがつかずにうまく立ち上がらないまま廃れていくのを見たことがたびたびあります。苦心して生み出されたであろうそれらのITツールが、日の目を見ることなく消えていくことは同じITツールを提案する身として寂しいものです。そして、その経験からマーケティング志向での展開がいかに難しいことなのかを身に染みて感じます。

　一方で、「CXaaS」はマーケティング能力への依存度が低い、徹底的なマーケットイン型のサービス開発と言えます。ユーザーのニーズを受け、実際に満足してもらえる「形」をユーザーに確かめながら開発していきます。顕在化したニーズが前提となって、開発作業を進めていくのです。スマートさに欠いたやり方かもしれませんが、少なくとも1ユーザーには確実に満足してもらえる開発ができます。

## 徹底したマーケットイン発想により迷走を回避

スティーブ・ジョブズが生み出したiPhoneのような、イノベーションを果たし、劇的に多くのニーズを満たして世界を席巻する発明と比較して、顕在化しているニーズを個別に解消していくアプローチは効率が悪いように思えます。しかし、潜在ニーズの金脈を目指すアプローチと比較して、地道ではありますが確実にニーズを満たし、ユーザーを増やしていけます。

昨今のITビジネスにおいては、革新性に注目が集まる傾向にあると感じますが、その革新性がユーザーに受け入れられるかどうかは高度なマーケティング能力と少しの幸運が求められるように思います。そして、サービスの導入が思うように進まなければ、マーケティング的な仮説から原因を求め、改善を図ります。この仮説を用いた一連の改善プロセスも、気付けば禅問答のようになかなか答えにたどりつかない状態に陥る可能性をはらんでいます。

「CXaaS」ではそんな迷走のリスクを排除し、少なくとも1ユーザーに満足してもらうことをよしとして地道に前進していくことが価値となります。

## マーケットイン発想が生むイノベーション

「CXaaS」の徹底的なマーケットイン発想の開発は、地道な印象を受けるでしょう。実際に、ユーザーそれぞれに向き合ってサービス提供をする姿は世間一般でイメージされるITベンチャーの華やかさはありません。しかし、ユーザーに徹底的に向き合った開発活動の結果、ユーザーのニーズから思いがけない、画期的な機能を生み出すことがしばしばあります。

専門性を高めてきた「CXaaS」を運営するエンジニア集団でも、多くの企業とのプロジェクト経験で培ってきた「常識」は、時として自由な発想を妨げる要因となります。「常識」から、ユーザーニーズに対する解決策として安易な方法へと舵を切ることが起こるのです。

それに対して、その「常識」では満足しない、熱いユーザーのニーズに触れる機会もあります。経験に頼ってこなすだけでは発想しえない、新しいアイディアを具現化し、そしてユーザーと共にブラッシュアップするという経験は、「CXaaS」としてITツールを提供する醍醐味かもしれません。

そして、そういった経験から生まれるイノベーションが、後から相談を受けるニーズを満たす新たな武器としてサービスに馴染んでいくのです。

# 4.7 カスタマーサクセスにコミットする

## 細く、短く終わるかもしれないSaaSのリスク

　SaaSで提供されるITツールの多くはサブスク型の費用体系を取っており、導入判断のハードルが低く、手軽なサービスなのが一般的です。しかし、提供するITベンダーへ十分な収益をもたらす前にユーザーが離脱する可能性があるサービスとも言えます。細く長く稼ぐ予定が細く短く終わってしまう可能性があるわけです。

　開発体制にもよりますが、例えば多額の初期投資を伴うソフトウェアを提供するSaaSであれば、たくさんのユーザーによる、長期間の契約の継続を前提にビジネスプランが描かれているでしょう。この場合、すぐにサービス利用をやめられたら赤字です。

　また、新規のユーザー獲得には、マーケティングおよび営業活動にも多大なコストがかかります。同じ1カ月の契約であったとしても、新規のユーザーから1カ月の契約を獲得するのと、既存のユーザーから1カ月の契約を獲得するのを考えれば、その差は歴然です。新規のユーザーには、サービスの存在を知ってもらい、利点を理解させ、利用してもらうための社内調整の必要があります。それに対して、既存のユーザーであれば、それらのプロセスの負荷を考慮することなく、継続利用を提案できます。

　このように、SaaSビジネスにおいてユーザーの利用継続は非常に重要なKPIであり、短期で解約されてしまうリスクは単純な収益減以上の課題であると言えます。

## SaaSにおける重要な役割「カスタマーサクセス」とは

　ここまでにもカスタマーサクセスについて簡単に触れてきましたが、ここで改めてご紹介します。というのも、「CXaaS」がビジネスとして成立する上で重要な要素だからです。

　本書でのカスタマーサクセスとはユーザーに対して、SaaSで提供するITツールの活用を後押し、事業運営に欠かせない存在となることで、解約されずに末永く利用されることを目的とします。

　従来のサービスで見られた顧客満足を目指すカスタマーサポートと比較して、その能動性に大きな差があります。能動的なカスタマーサクセスの活動と比較して、カスタマーサポートは受動的です。問題を感じたらユーザーから問い合わせし、その問い合わせを受けることがカスタマーサポートの役割です。不満やクレームに対応する部署のイメージがあるかもしれません。では、カスタマーサポートにクレームを入れる顧客像はどのようなものでしょうか？

## ▍声を上げてもらえないリスク

　B2Bにおいて、わざわざ業務時間を割いてまで問題を伝えてくれるユーザーは、業務との密接度の高いユーザーと言えます。カスタマーサポートに寄せられた不満に対して誠実に対応すれば、継続した利用が期待できます。一方で、本当に解約リスクがあるのは何も言ってこないサイレントなユーザーです。導入したのはよいものの、活用できておらず、業務にも影響を与えることはなく、関心が薄れて疑問や不満の声を上げることのない、そんなユーザーこそ継続することなく解約する可能性が高いのです。私が経験したBIツールの導入失敗の際も、そもそも質問できる知識レベルになく、カスタマーサポートに連絡しようとすら思わなかったことを思い出します。

　このような、放っておくと利用が進まないユーザーに対して、打ち合わせやセミナー、トレーニングプログラムを用意することでフォローし、継続利用を促すことがカスタマーサクセスに求められる役割となります（図4.7.1）。

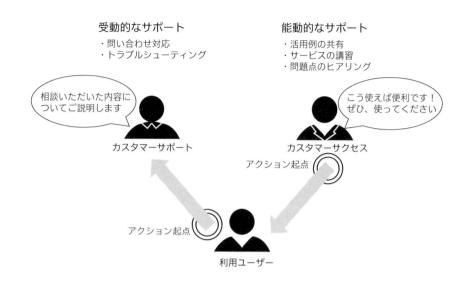

受動的なサポート
・問い合わせ対応
・トラブルシューティング

能動的なサポート
・活用例の共有
・サービスの講習
・問題点のヒアリング

相談いただいた内容に
ついてご説明します

こう使えば便利です！
ぜひ、使ってください

カスタマーサポート

カスタマーサクセス

アクション起点

アクション起点

利用ユーザー

● 図4.7.1　カスタマーサポートとカスタマーサクセスのイメージ

## カスタマーサクセスを内包したサービス設計

　カスタマーサクセスとしては、中長期的にユーザーをフォローする業務のイメージがあります。多くのSaaSビジネスでは、1年間など、ある程度の契約期間を設定していることもあり、次の契約更新に向けたリテンションを想定しているからではないかと思います。しかし、ユーザーにとってITツールへの関心は、導入時がピークであることは言うまでもありません。活用のイメージを湧かせ、さまざまな関係者との折衝を通して導入を決めたのです。

　この導入時に活用され、業務に取り込まれていく道筋が描けていなければ、その後ユーザー企業の業務文化に取り込まれる可能性は低いのではないでしょうか。カスタマーサクセスとして最も注力するべきタイミングは、システム導入時点であると考えています（図4.7.2）。

　「CXaaS」では、ユーザーが利用できる環境の整備もFAEの作業であることは紹介した通りです。このサポートは、ユーザーが利用しづらいと感じる要件を排除し、その後の継続利用に大きく寄与しています。「CXaaS」が提供するFAEによる導入サポートは、カスタマーサクセスにとって重要なタイミングでの能動的サポートとなっているのです。

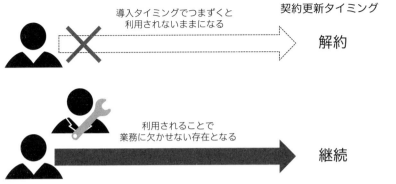

導入タイミングでつまずくと
利用されないままになる

契約更新タイミング

解約

利用されることで
業務に欠かせない存在となる

継続

・FAEが利用可能な環境を構築
・使い出しまでレクチャー

●図4.7.2　FAEによる最初のカスタマーサクセス

## 顧客ニーズに寄り添い続けることで解約を抑止

　「CXaaS」が提供する導入サポート、すなわちユーザーが利用するのに必要な環境を整備するデリバリーまでFAEが提供するという体制は、その後の活用で最も重要な、導入タイミングでのミスマッチを防ぐ効果が期待できます。またユーザーは、FAEのサポートを導入後も継続的に受けることができます（図4.7.3）。

　業務に取り込まれたITツールの解約タイミングを考えると、業務や組織の変化が主要な理由と考えられます。その変化に伴うニーズについても、継続的に追加費用もなく満たすことができれば、ユーザーとしては解約する理由はありません。このように、FAEはSaaSで重要視されているカスタマーサクセスの点で、単なるナレッジや成功事例などの情報支援だけではなく、開発作業を含む技術的なサポートも提供可能な存在と言えます。そして、FAE提案、導入、運用というフェーズにおいて統一的に参加するプレイヤーとなり、営業、エンジニア、カスタマーサクセスの性質を持つマルチロールであることが特長となります。

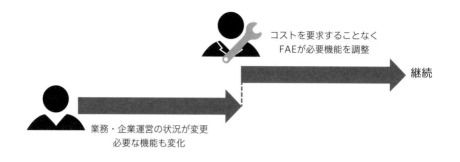

コストを要求することなく
FAEが必要機能を調整

継続

業務・企業運営の状況が変更
必要な機能も変化

● 図4.7.3　継続的なサポートによる解約リスクの低減

## タダで手に入れたものを手放す勇気

　SaaSでありながら、パッケージ開発のようにユーザー個別の開発対応を特長とする「CXaaS」ですが、全てのユーザーを100パーセント満足させることは現実的ではありません。ベースとなるUIデザインが好きじゃないから全て変えてほしいと言われても対応は難しいですし、あまりに既存の機能を無視した合理的ではない仕様の開発は断ることもあります。

　SaaSとしてITツールを提供する以上は、パッケージ開発に見られるような制約があるのです。とはいえ、実現できる開発対応は全て対応していきます。そして、その対応に追加費用をいただくことはありません。

　「CXaaS」のこの方針は、何もユーザーへの貢献を目的とした道徳心だけから生まれたものではなく、SaaSとしていかにユーザーに見捨てられないかを考えた上での戦術でもあります。

　例えば、「CXaaS」として提供するITツールよりもデザインが良いとか、ブランドイメージが良いなど、機能を提供するだけでは満たせない価値を持つITツールが登場したとします。ユーザーとしては関心を持ち、移行を検討するかもしれません。しかし、その時に、「CXaaS」が無償で提供した特別な機能があればどうでしょうか？ デザインが良くて、ブランドが素晴らしくても、それらの機能を捨てて移行するか悩ましいのではないでしょうか。もし移行先のITツールで同じ機能を実現すると高額なコストが発生するとすれば、移行を断念する可能性が高まります。

　ユーザー企業にとって、システムの導入は大仕事です。「CXaaS」はその大仕事を楽にするサービスを提供しながら、移行時の「大仕事」によって守られてい

るのです。

## 継続利用と「CXaaS」提供価値の循環

　「CXaaS」を成立させるには、安定した収益基盤となるユーザーによる継続利用が必要不可欠です。その継続利用の促進を図る上で、「CXaaS」が提供するFAEによる導入支援、継続的なカスタマイズ対応、また先行投資とも言える追加費用不要での機能開発などは、継続利用を促進する上で戦略上重要な意味を持ちます。そして、高い継続率を前提とした安定した収益基盤を背景に、開発作業に要する費用をユーザーに要求しない「CXaaS」がビジネスとして成立していきます。この循環こそが「CXaaS」成立のカラクリの重要な要素であり、従来のシステム提供から考えると荒唐無稽に思えるビジネスモデルを実現します。

# 4.8 専門知識をもち、実行力の あるパートナーとなる価値

## よき隣人としての「CXaaS」

SaaSの利用が盛んとなった現代のビジネスにおいて、何か一つのシステムを導入して終わりということはあり得ません。さまざまな役割を持ったITツールを使い分け、そして機能を連携させることによって統合的に活用することが一般的になっています。

このようなSaaSの活用状況では、他社のサービスと連携するため、ITベンダー同士で相談する必要が出てきます。SaaSのホームページや紹介資料でも、機能紹介と合わせて連携可能な他のITツールを掲載することがよくあります。とはいえ、世の中に無数にあるITツール全てとの連携開発を初めから提供することは現実的ではないため、既存ユーザーの多い有名なサービスに限定したり、APIの仕様を公開してユーザー自身、ないしは連携先サービスでの自己解決を促したりする、SaaSが多いと言えます。

こうなると、ユーザー企業としてはITツールの選択肢は各ベンダーで連携実績があるものに限られるか、また公開されているAPI仕様に準拠して連携できるITツールを探すことが求められます。ユーザー企業が自由な選択肢を持って、最適なITツールを連携して利用するという理想に対して、隔たりが生まれてしまうのです。

### ■ 幅広いパートナーを受け入れる「CXaaS」

「CXaaS」ではこの課題に対しても、個別開発を許容する強みが活きてきます。まだ連携実績がないITツールとも、開発を厭わずに対応できるのです。もちろん、追加費用をいただくことはありません。この対応によって、ユーザーは機能連携を前提とした場合も幅広い選択肢からITツールを選択できるメリットがあります。

また連携先のITツールベンダーとしても「CXaaS」は心強い存在となります。機能連携開発とは一般的に連携先と連携元の、双方の開発が必要となります。連

携開発自体、個別性の高い開発となる可能性が高いため、SaaSベンダーからするとあまりやりたくないというのが本音ではないでしょうか。特に先に導入されているITツールの提供ベンダーにとって、後から導入されるITツールが連携実績のないものであれば、すでに実績のあるITツールにしてほしいというのが本音でしょう。

しかし、ユーザー希望により連携開発を進めることになった場合、先輩にあたるITツールが後輩にあたるITツールの仕様不備などを理由に開発をためらったり、エンジニアの稼働に関する費用を請求したりするなど、後輩にあたるITツールの導入に不利な状況を生み出すことが考えられます。

「CXaaS」ではこういったストレスを感じさせることなく、後から導入される、後輩にあたるITツールとも連携していきます。またAPIなどの仕様を押し付けるだけではなく、連携先ツールの仕様に寄り添った開発にも対応できるのです。このことは、機能連携が求められる可能性のある全ての周辺ソリューションにとって、よき隣人としての価値を提供することにつながります。

この対応により、今度は周辺ソリューションからユーザーを紹介されるような良好な関係が構築されていきます。「CXaaS」のビジネスモデルは、パートナー戦略においても技術力が好影響をもたらすのです。

## 独自の市場を持つ強さと成長戦略

「CXaaS」の定額料金の中で多様な付加価値を提供するサービスモデルは、ビジネスとして十分に合理的な戦略であることはご理解いただけたと思います。一方で、料金体系の硬直性は、必ずしもメリットとは言えません。企業として継続的な成長が求められる以上、「CXaaS」としての規模拡大、ユーザー数の増加以外にも展望が必要となるのです。では、成熟した「CXaaS」提供事業者の成長戦略とは、どんなものが考えられるでしょうか？

着目すべきは、成熟した「CXaaS」において独自の市場を持つような強みが生まれることです。「CXaaS」が成功すれば、自社が提供するITツールを軸としながら、FAEがユーザーの運用にまで入り込んだ企業を多数抱えることになります。これらの企業に対して、提案や導入に関して他より優位にあることは言うまでもありません。

例えば、新たなITツールを展開していくことを考えたときに、クロスセル（他のサービスとの連携を提案する）提案においては優位な存在になるでしょうし、

また周辺ITツールに対してプラットフォーム的な立ち位置から収益を上げる戦略も考えられます。「CXaaS」として深く根を張ることは、大きな果実を得ることにつながるのです（図4.8.1）。

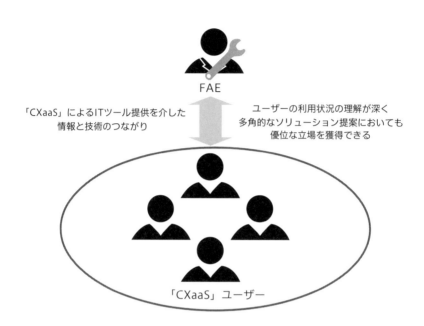

●図4.8.1　「CXaaS」が形成する市場の優位性

# 第 5 章

# 「CXaaS」誕生まで

# 5.1 エンジニアが作った会社

## ITバブルの中で創業

　「CXaaS」によるITツールの提供は、SaaS型のサービス提供が抱えていた課題を克服し、ユーザー企業、また運営する事業者としても合理的でメリットのあるサービスモデルです。その「CXaaS」は、これまで紹介したメリットを想定してデザインされたものではありません。さまざまな挫折からの学びを得て生まれました。その成り立ちを理解することは、「CXaaS」を理解する上で役立つ気付きがあると考え、この章では「CXaaS」を生むことになるコムデザインのこれまでの歩みを紹介します。

### ■ アイディアをビジネスへ

　コムデザインの前身となるフュージョン・αの創業は1997年です（図5.1.1）。エンジニアである寺尾憲二が起業し、そのエンジニアが描く夢をビジネスとして実現することを志した会社でした。

　創業者は、元々は日本電信電話公社のエンジニアとして、当時まだ研究段階であったUNIX（System V）ベースのワークステーションのプログラミングに早くから触れることになります。この経験が後の方向性を決めます。その後、UNIXをベースとしてソフトウェアを開発するベンチャー企業の技術責任者に着任。そして、インターネットの登場を前に、これからさらに発展するコミュニケーション産業に対してより自由な「何か」を世に出したいと考えて独立を果たします。

　当時はWindows 95の発売によりパソコンが一般消費者にも普及し始め、企業が利用するシステムも、メインフレームからオフコン（オフィスコンピューター）、ミニコン（ミニコンピューター）と進んできたダウンサイジングの流れから、パソコンの導入が急速に進み始めた時期です。

　光回線どころかADSLもまだない時代でしたが、インターネットを使ったビジネスの原型のようなものが動き出した、ITバブルの先駆けの時代です。誰もがITという新たな産業に期待感を持ち、社会的にも積極的に投資しようという雰

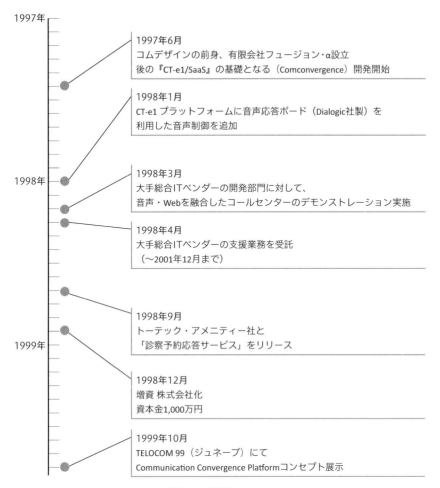

1997年

1997年6月
コムデザインの前身、有限会社フュージョン・α設立
後の『CT-e1/SaaS』の基礎となる（Comconvergence）開発開始

1998年1月
CT-e1 プラットフォームに音声応答ボード（Dialogic社製）を
利用した音声制御を追加

1998年

1998年3月
大手総合ITベンダーの開発部門に対して、
音声・Webを融合したコールセンターのデモンストレーション実施

1998年4月
大手総合ITベンダーの支援業務を受託
（～2001年12月まで）

1998年9月
トーテック・アメニティー社と
「診察予約応答サービス」をリリース

1999年

1998年12月
増資 株式会社化
資本金1,000万円

1999年10月
TELOCOM 99（ジュネーブ）にて
Communication Convergence Platformコンセプト展示

● 図5.1.1　1990年代：コムデザイン創業期

囲気に満ちていました。1990年代には、アマゾンやグーグル、日本企業として
はソフトバンクや楽天といった、いまや巨人となったIT企業が相次いで創業し
ています。

　創業者の発想の中には、すでに現在同社が「CXaaS」で提供しているITツー
ル『CT-e1/SaaS』の基礎となる、プラットフォームのアイディアが出来上がり
つつありました。当時は、コミュニケーション手段としては電話が圧倒的な主流
でした。しかし、インターネットの普及により電話以外にも多様な方法が生まれ、
それを統合的に制御するプラットフォームが必要になると考えたのです。そして、

そのアイディアだけに頼って、顧客も経営の経験もないまま独立しました。

　無謀にも思えるチャレンジでしたが、起業から間もなく、そのコンセプトはDialogicという音声制御に関わるボードを開発する外資企業から評価されることになります。それを皮切りに、コンタクトセンターに関わるシステムを開発していた大手総合ITベンダーの開発部門に向けた、音声、Webを融合したデモンストレーションが評価され、開発業務を委託されることになります。

　ここまで起業から1年足らずと、まさしくトントン拍子で成長しています。1999年にはジュネーブで開催された「TELECOM 99」という国際的なカンファレンスで現在の『CT-e1/SaaS』につながる「Communication Convergence Platform」コンセプトを披露することになります。起業から2年足らずのITベンチャーとしては順調な滑り出しとなり、創業者が志したコンセプトと技術力について自信を深めていきました。

### ■エンジニアが起ち上げたエンジニア視点のベンチャー企業

　日本では珍しい印象のあるエンジニアによる起業ですが、現在世界のITをけん引するマイクロソフトやアマゾン、グーグルの創業者の多くがエンジニア出身です。このようにエンジニアが作った企業はITの分野では珍しくなく、また画期的なビジネスモデルを生む上で、実は重要な意味合いも持っているのではないかと思います。

　マーケティング、営業的な発想であれば、ニーズに対してできるだけ高い価格で、効率よく収益化する方法を考えると思います。定石とも思える考え方ですが、無料で利用できるサービスを多数提供するグーグルを筆頭に、創業者がエンジニア出身の企業は、まずはユーザーに利用されることを優先する戦略が採用される傾向にあるように思います。現在では当たり前になりつつあり、シェア獲得を優先した低価格戦略ですが、ビジネスとしての合理性の前に、根底にあるのはエンジニアとして作ったものを使ってほしいという純粋な思いではないかと考えています。そして、「CXaaS」にも同じ思いが根底にあります。

## 成長が期待された分野

　半導体メーカーの最大手であるインテルの積極的な投資活動によって、Dialogicは同社の傘下となります。半導体とボード開発の技術を持つ会社が組むことで、新たな製品開発ができるようになりました。2000年の1月、フュー

144

ジョン・αはインテルから、IP内線対応の小型PBX（電話交換機）の開発用・試作品提供を受ける機会を得ます。このことは、ついに思い描いていたプラットフォームを製品化して世に送り出すチャンスを得たことを意味しました。『CT-e1/SaaS』のプロトタイプとなる『CT-e1 プラットフォーム』の移植開発が開始します。

『CT-e1 プラットフォーム』のアイディアは、当時としては非常に画期的でした。コールセンターにおけるCTI導入のメリットが徐々に認知されつつありましたが、ハードウェアを含むシステムの価格が非常に高く、大手企業への導入しか現実的ではありませんでした。そのような市場環境の中で『CT-e1 プラットフォーム』はインテルの小型PBXをベースにCTI機能を提供できるため、当時主流となりつつあったCTIと比較して非常に安価に導入が可能でした。この特長により、幅広い企業に提案可能な高い競争力を持つ製品としての展開が期待できました。

## ■ ITバブルが追い風に、順調に成長

エンジニアとして、製品としては画期的なものを生み出す自信はありました。だからこそ、それを普及させる体制を整える必要があると考えます。当時のシステム導入は当然、オンプレミス型でのシステム提供が求められます。そのために、開発と並行して提案と導入を行える体制の整備を図りました。当時、同じくベンチャー企業であった会社と合併し、現在のコムデザインとなります。その会社が持つSI（System Integration：システムインテグレーション）のノウハウに期待した新設合併でした。

画期的な製品の展開が期待されるコムデザインに対して、投資も集まりました。投資から得た資金は、主にSI部門の人員拡充に充てられました。理屈で考えれば『CT-e1 プラットフォーム』が売れないはずはなく、導入するための人員の不足がボトルネックになると考えたのです。SI部門の人数はどんどん増えていき、中にはグローバル展開を見据えたインド人メンバーもいました。ITバブルに沸く市場の中で、優れた製品を開発し、それを展開するための組織を拡大させていったのです。

2000年11月のことです。間もなく開発が完了し、発売を目前に控える中、創業者である寺尾が米国のフロリダ州で開催されていたインテルのセミナーに参加していたときでした。プレゼンテーションの冒頭としては異例な、株価の話題から始まりました。その日、米国におけるIT関連株式が暴落したというのです。この日を契機として、ITバブルが崩壊していきました。

# 5.2 終わりの始まり

## 夢の終わり

　ITバブル崩壊の足音は、日本でもすぐそばに忍び寄ってきていました。しかし、2001年1月、日本最大のベンチャーキャピタルであるジャフコグループから追加の資金調達を受け、コムデザインは増資します。この時の資本金は1億円を超えていきました。開発作業も進んでいき、組織も大きくなりながら、2001年6月、念願であった『CT-e1 プラットフォーム』の製品開発が完了し、インテルとの国内販売総代理契約を締結。いよいよ販売がスタートします（図5.2.1）。

　しかし、この時には、すでに経営状況は下降線を描きつつありました。集めた人員に対して、思うような利益を上げることができなかったのです。そして、この傾向は虎の子の『CT-e1 プラットフォーム』の販売開始以降も変わりませんでした。投資により得た資金はみるみる減っていきました。

　経営者として焦る寺尾は、提案と導入活動、つまりSI部隊に課題があると考えていました。理屈で考えれば、現在の市場にあるCTIシステムよりもはるかに安価で高機能なものを提案しているのです。提案のプロセスに課題があると考え、要因と対策を徹底的に詰めていきます。その矛先は、共同代表者でSEチームの責任者に向くことが常でした。会社の雰囲気は決して良いものではありませんでした。

### ▮ 低迷する業績と解任動議

　2001年10月、共同代表だった寺尾に代表取締役の解任動議が出されます。理由は大きくなる組織に対して、エンジニア出身の経営者では不安もあるだろうというものでした。経営の第一線を退いて、開発作業に専念を勧告されました。

　この時、くやしさや怒りという感情よりも、安堵が最初の感覚であったといいます。経営状況としては依然として決して芳しいものではなく、予断を許されない状況であることは変わりありませんでしたが、多くの投資会社からの期待、社員の雇用維持、そういった重責を負う立場から降ろされたのです。

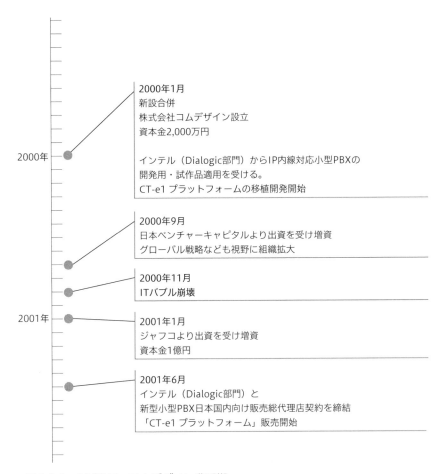

2000年1月
新設合併
株式会社コムデザイン設立
資本金2,000万円

インテル（Dialogic部門）からIP内線対応小型PBXの
開発用・試作品適用を受ける。
CT-e1 プラットフォームの移植開発開始

2000年9月
日本ベンチャーキャピタルより出資を受け増資
グローバル戦略なども視野に組織拡大

2000年11月
ITバブル崩壊

2001年1月
ジャフコより出資を受け増資
資本金1億円

2001年6月
インテル（Dialogic部門）と
新型小型PBX日本国内向け販売総代理店契約を締結
「CT-e1 プラットフォーム」販売開始

●図5.2.1　2000年：コムデザイン黎明期

　エンジニアとして淡々とタスクをこなす日々は、それまでさいなまれ続けた不安や焦燥感が薄らぐ、少しは平穏な日々に思えました。

　しかし、その平穏の日々も長くは続かず、2001年12月、わずか2カ月で代表取締役に復任することになります。単独で経営判断する立場となった共同代表者が、惨憺たる経営状況を改めて認識し、さじを投げたからです。2002年2月、共同代表者の会社とは分社化します。分社化以降も、経営状況は改善することなく、従業員をほぼ解雇することになります。苦渋の決断でした。

　2002年12月、ITバブル崩壊のあおりを受けたインテルの事業縮小にともない、ベースとなる小型PBXの製造終息が決定します。それは、コムデザインの

期待を一身に背負って生まれた『CT-e1 プラットフォーム』の提供終了を意味しました。

　2000年1月、インテルからの試作品提供から始まった3年間のチャレンジは、実を結ぶことなく終わりを告げることとなります。

## なぜ、売れなかったのか？

　『CT-e1 プラットフォーム』は明確に差別化された、競争力のある製品だと言えました。では、なぜ売れなかったのでしょうか？ 思い返すと、システム導入を検討するプロセスへの無理解が一番にあげられます。当時、エンタープライズとよばれる大企業に向けた個別の開発案件を中心に、コムデザインは大手総合ITベンダーの下請けとして仕事をもらえていました。『CT-e1 プラットフォーム』の開発中の売り上げは、こういった仕事によって支えられていました。

　一方で、『CT-e1 プラットフォーム』がターゲットとする企業は、エンタープライズではなく、SMBとよばれる中小規模の企業を想定していました。SMBへの提案はユーザーへの提供価格を低く抑える必要があります。そのために『CT-e1 プラットフォーム』が持つ低価格路線を活かし、競争力を維持するためには、大手総合ITベンダーに頼ることなく、自社で営業体制を用意することが有利であると考えたのです。しかし、結果は惨めなものでした。

　オンプレミス型のサービス導入におけるITベンダーとユーザー企業の依存関係を考慮していなかったのです。ユーザー企業にも『CT-e1 プラットフォーム』の良さは当然理解されるものと考えていましたが、実際に利用したこともないCTI導入のメリットをまず理解することが難しく、また誰も名前を知らない企業からの提案となれば、当時のユーザー企業担当者が『CT-e1 プラットフォーム』の良さを理解することは難しいでしょう。

　ましてや、オンプレミス型のシステム提案です。SaaSと異なり、比較的安価とはいえ、高額な初期費用を投じて試してみるという発想に至ることは困難であると予想できます。また、現在と比較すると、インターネットなどからB2Bのシステムに関する情報を入手しやすい状況ではありませんでした。

　このような情報のギャップを埋める存在が、それまで各ユーザー企業において、さまざまなシステム導入を通して信頼関係を築いてきたITベンダーです。そんな時代に、オンプレミス型のシステム導入に際して、ITベンダーの看板の価値を無視して導入するというのは、無謀な販売計画であったと言えます。こうして、

当時の『CT-e1 プラットフォーム』は、無邪気な理想論的な販売計画と、当時のシステム提案における高い壁に阻まれて失敗したと言えます。

## システム導入における営業管理の難しさと歪み

『CT-e1 プラットフォーム』の拡販を目指した3年間、特に後半は、会社の雰囲気は最悪でした。それは、営業的な提案を役割として与えられているSI部隊に対して、なぜ売れないのかを徹底的に理詰めで追及していたことによるストレスの連鎖が主要な原因です。改善されないことへの苛立ちと、求められても解決できない課題を突き付けられる苛立ちです。この状況に陥ると双方が相手方に問題があると考えて、視野が狭まり、創造的な解決が難しくなっていきます。

当時のSI部隊への追及としては、課題と改善アクション、それにともなう定量的な実績コミットを求める方法をとっていました。これだけを見ると理に適った管理方法に思えます。しかし、いくら仮説的に目標を出させても、そしてその目標に未達だからと改善アクションとリカバリーを求めたとしても、どうしても売れないことはあるのです。怠慢や考えの浅さとは関係なく、達成が難しい目標はありえるのです。当時のITベンチャー企業がユーザー企業に直接販売するという無謀なチャレンジがこれに当てはまります。

### ▌開発部隊とSI部隊の対立

一方で、SI部隊からは開発部隊に対してバグが多いから売れないのだという改善依頼を出していました。それに対して、開発部隊としては仕様とバグの区別がついていないだけではないのかという疑いをもって、具体的に指摘することを求めます。SI部隊も、販売の不振に直結する具体的なバグであれば指摘も容易ですが、意図としては導入の過程でたびたび生じる未知のトラブルを減らしてほしいという依頼です。具体的な指摘はできませんでした。

SI部隊からすれば売りづらいのは開発部隊が前向きに改善対応してくれないからだと不満を募らせていくことになります。経営層からの、ある意味、理不尽といえる圧力に対して、SI部隊としては原因を製品品質に求め、開発部隊としても売れない営業を軽視する。そんな負のスパイラルが会社の雰囲気を悪化させていきました。

会社運営において一定の緊張感は必要です。しかし、特定部署への圧力、特に禅問答のように明確な答えが得られない課題を与えての追及はハレーションを生

みます。

## 貧乏暇なしを生むオンプレミス型サービス

　当時、会社のほとんどを占めていたSI部隊は、期待した売り上げを上げられない状況が続いていました。では、暇だったかというとそういうわけではありません。わずかに獲得したユーザーのフォローに奔走していました。保守費をしっかり確保できればよいですが、発売して間もない、しかもベンチャー企業によるシステム導入です。導入を優先するため、保守に関する契約や取り決めはうやむやになっていました。つまり、タダ働きです。

　またオンプレミス型のサービスであるため、SI担当者は頻繁に客先に行くことになります。当時は都心から1時間以上も離れた場所にオフィスを構えていたため、一度に対応できるユーザー企業数も限られており、せいぜい数件の対応が限界でした。効率が悪く、また収益も得られない仕事にリソースは奪われていました。かといって、無視してトラブルになれば、それ以上の労力が必要になります。必要なコストとして徐々に定着していくことになります。

　一方で、開発部隊は『CT-e1 プラットフォーム』への数少ない追加開発と大手総合ITベンダーがくれた仕事をこなしていくだけで、稼働としては余裕がありました。このように、SI部隊、開発部隊について稼働が安定せず、非効率な状況が続いていたことも当時の問題の一つだったのです。

# 5.3 つながる糸と
# 二度目の挫折

## 終わらない夢と二度目の挫折

　ほとんどの従業員の解雇、『CT-e1 プラットフォーム』の販売終息と、一時期は従業員50名近くまで成長したコムデザインは、また一人だけの会社、スタート地点に戻りました。むしろ、借入金のことを考慮すれば大幅なマイナスです。しかし『CT-e1 プラットフォーム』で夢見た、自身が開発したアーキテクチャのビジネス展開を諦められませんでした。

　ここから、さまざまな案件の受託開発をこなしながら、現在の『CT-e1/SaaS』にも利用される基礎技術を開発していきます。企業運営は決して楽なものではありませんでしたが、なんとか借入金の返済は進んでいきました。そして、2006年1月、国内大手電機メーカー製小型PBXへの『CT-e1 プラットフォーム』の移植開発が決定します（図5.3.1）。インテルの終息から約3年後の出来事でした。2000年の体制と比較して社員数は限られており開発は難航しましたが、確実に進行していました。そんな中、2008年9月リーマンショックによる世界的な不況が襲います。

　同月、そのあおりを受けて、国内大手電機メーカーによる『CT-e1 プラットフォーム』移植開発プロジェクトは凍結となります。『CT-e1 プラットフォーム』二度目の挫折でした。

## ソフトウェア開発の限界と依存するリスク

　インテルと国内大手電機メーカー、世界に名だたる二つのメーカーから手を差し伸べていただいたことは、一介のベンチャー企業としては僥倖と言わざるを得ません。ビジネスを展開する上で、駆け出しの企業からすれば強力なパートナーを得た思いであったでしょう。一方で、苦心して移植開発した『CT-e1 プラットフォーム』は、いずれもパートナーとなる企業の都合によって終息を迎えます。

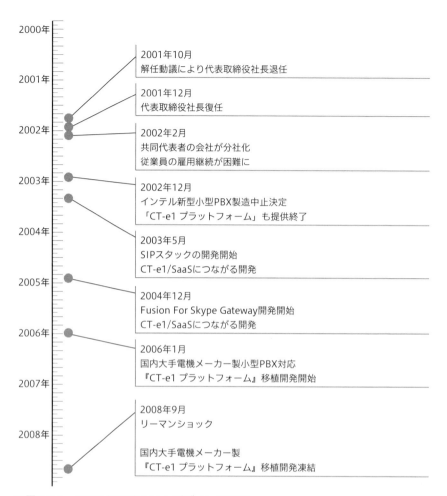

●図5.3.1　2001年以降：コムデザイン暗黒期

　ソフトウェアは完全に自社の技術として確立されていましたが、オンプレミス型システムが主流の時代ではハードウェアへの依存は免れません。それはシステムの構成要素としての関係だけではなく、導入に関わる提案から運用までの体制提供も含みます。この関係において、強力なパートナーの存在は同時にビジネス展開におけるアキレス腱となってしまうのです。

　企業は、時勢に応じた最適な対応が求められます。ITバブルの崩壊やリーマンショックでの対応がそれにあたりますが、その対応をパートナーとして妨げることはできず、コントロールできない以上は経営上のリスクであると言えます。

# 5.4 クラウドサービスへの
参入とCXaaSの萌芽

## 苦し紛れのSaaS参入

　頼みの綱であった国内大手電機メーカーのプロジェクトが凍結となり、いよいよ展開する手がなくなりました。また、いつ来るかもわからない大手メーカーとのパートナーシップの締結に期待することは、現実的ではありませんでした。メーカーに頼らずに、自社のみで開発したソフトウェアを提供する術はないか？模索する中で、当時出始めであったクラウドサービスに目をつけます。これが現在の『CT-e1/SaaS』となります。

　2008年11月、コールセンターで利用されるシステムの展示会としては国内でも最大級である『コールセンター /CRM デモ＆コンファレンス』に、初めて『CT-e1/SaaS』のコンセプトを展示します。広告宣伝費にかけられる予算などない中で、かなり無理をしての出展でした。アマゾンによるAWSのサービス開始が2006年、グーグルによるGoogle Cloudの開始が2008年であったことを考えると、世の中にまだクラウドという発想はほとんど浸透していませんでした。現在でこそソフトウェアをビジネスにしようと考えたときに、筆頭にあがるSaaSでの提供ですが、当時としてはかなり画期的で、挑戦的な試みだったのです。ちなみに、マイクロソフトのAzureは2010年にサービスを開始しており、クラウドが徐々に普及していく最初期と言えます。

### ■ わずか5台のサーバで始めたSaaS事業

　『コールセンター /CRM デモ＆コンファレンス』での説明員としては、社長自らがブースに立ちました。打ち出した内容は低価格でシンプルな料金体系です。会社としての認知度もない中で、技術的な凄さを打ち出しても、話すら聞いてもらえないことを過去の失敗経験から学んだ上でのアイディアでした。

　目論見は当たり、当時はまだまだ高価だったCTIが、初期投資の必要はなく安価に使えるというアイディアは多くの関心を引きます。そして、興味を持ったユーザー企業の担当者から機能に関する質問を受ける中で、ユーザー企業ごとのニ

153

ーズの多様さを知ります。またエンジニアだからこそ、そのニーズをどのように解決できるかについて説得力をもって説明できることは、ユーザーからの評判も上々でした。この展示会で得た手応えにより、本格的にサーバ設備の投資を行い、SaaSの展開へと向かいます。

　2009年2月、ベンチャーキャピタルからの投資はもとより、間接金融からの借り入れも難しい状況の中、株と引き換えに従業員からそれぞれ資金提供を受け、『CT-e1/SaaS』の提供を開始します。この時、稼働するサーバはわずか5台からのスタートでした。

## ファーストユーザーと「CXaaS」の原型

　『CT-e1/SaaS』の最初の案件は、ある法律事務所による契約でした。『コールセンター /CRM デモ＆コンファレンス』に出展した際、大いに興味を持ってくれたユーザーでした。『CT-e1/SaaS』のサービス開始に合わせて、早速サービスの紹介に当時の営業担当者が提案に向かいました。そして、想定していなかった利用方法を要望されたため、その営業担当者はその場で対応は難しい旨を伝えて帰ってきたのです。その担当者は大手ITベンダーで長年勤めていた人物で、経験豊富であることは間違いありません。そして、その経験から、かかる開発の手間を考慮した上での回答でした。

　事務所に帰ってきた担当者の報告を聞いて、焦ったのはエンジニアでもある社長です。生まれたばかりの『CT-e1/SaaS』にユーザーが求める機能がなんでも揃っている訳はなく、ユーザーが要望する要件もやりようによっては実現できるものでした。検討客が潤沢にいる訳でもなく、新しいユーザーを次々に発掘できる見込みもないのです。すぐに、社長自ら、改めてユーザー企業に訪問し、要件を聞き、機能を開発することで導入が決まります。

　こうして、「CXaaS」の原型となる成功体験を通して、ファーストユーザーが生まれたのでした。

## 組織の特性から生まれる戦術

　「CXaaS」が生まれる背景となったファーストユーザーの例ですが、当時のコムデザインが持つリソースの偏りから生まれた考えであると言えます。この例で見られる開発作業は、決して楽なものではありませんでした。しかし、エンジニ

アの視点から見れば、不可能ではなかったのです。

　一方で、今後同じようにユーザーからの問い合わせを得たときに、既存の機能で満足するように説得する、もしくは既存の機能で満足してもらえるユーザーを安定的に発見する、というセールスのやり方を工夫する方が無理があると考えられました。これは、当時のコムデザインの組織特性によるものであり、よりマーケティングや営業活動に長けた組織であれば異なるアプローチとして発展していくことが想像できます。

　しかし、これまで見てきたようにB2Bのシステム導入というユーザーニーズの独自性が高く、また業務との親和性が求められるITツールの展開においては、マーケティング的なアプローチよりも技術的なアプローチの方が無理はないと考えられるのです。

# 5.5 ビジネスにおける ターニングポイント

## 東日本大震災がターニングポイントに

『CT-e1/SaaS』はその後、少しずつユーザーを増やしていきます。問い合わせの数はそれほど多くありませんでしたが、問い合わせを受けたユーザーに真摯に向き合い、追加費用をもらうことなく、ユーザーのニーズに対して柔軟なカスタマイズ対応が功を奏して、問い合わせを受け検討が進みさえすれば、高確率で受注を得る状況となりました (ちなみの、この時は「CXaaS」とよんでいません)。それでも、まだ『CT-e1/SaaS』の収益のみで会社運営できる状態にはありませんでした。

そんなコムデザインに転機が訪れます。2011年3月に起きた東日本大震災です。この未曾有の災害により、東北地方に拠点を持つコールセンターも被災し、業務継続に支障をきたしました。その中の一つに、一部の部署で『CT-e1/SaaS』を利用し始めていた大手旅行代理店の拠点がありました。

その旅行代理店の注文は当時、電話での受注を中心としていたため、電話窓口が稼働できないと、そのまま大きな営業的損失につながります。一刻も早い復旧が望まれました。そこで、白羽の矢が立ったのが『CT-e1/SaaS』です。クラウドサービスならではの手軽な導入と、特殊な仕様による携帯電話を利用した電話窓口の創設が可能だったのです。

復旧まで長期間の閉鎖が余儀なくされる可能性があった電話窓口を、『CT-e1/SaaS』を導入し、数日で復旧させることに成功します。この功績と、また当時一部署のみでPoC的に利用されていた機能が評価され、間もなく国内ほとんどの拠点での利用に向けた採用が決まります。『CT-e1/SaaS』にとっての最初の大規模ユーザーでした。

また、この大災害以降、企業で利用されるシステムにおいてBCPの重要性が認識され始めます。以降、大手旅行代理店を皮切りに、外資家具店など誰もが知る有名企業にも徐々に導入されていくことになります。

ITバブル、リーマンショックと社会情勢の変化に翻弄されてきたことを考え

ると、ビジネスにおいて社会情勢の影響は決して無視できないことを痛感します。

## 勝負所に強いビジネスモデルとしての「CXaaS」

　ギリシア神話におけるチャンスの神カイロスは、前髪しかない姿で描かれます。これは、通り過ぎてから追いかけても掴むことができない、チャンスの性質を表したものと言われています。

　東日本大震災においてBCPの需要が高まり、有名企業からの問い合わせを受けることになった当時のコムデザインにとって、このチャンスを逃せば次はいつ訪れるかわかりません。そこで、強みを発揮したのが「CXaaS」が持つ柔軟性とスピード感です。当時求められたBCPなどのクラウドサービスとしての強みを打ち出しつつ、その懸念点となる既存の運用の継続を可能な限り実現したのです。同時に、たくさんの案件を並行してこなす上で、ユーザーの検討スピードを可能な限り早めることも求められました。そこで、ユーザーの要望に対し、逐一見積もりを出すことを止めました。見積もりはシンプルに、あらかじめ決められたライセンス費のみとしたのです。

　これにより、ユーザー企業にとって見積もりの変動による社内確認などの手間を減らします。また、機能開発の値付けの手間を省くことによる省力化も、提案スピードの向上には寄与しました。営業的な交渉により収益を高めるよりも、まず目の前にあるチャンスをひたすら掴みにいくことを重視したのです。

　前述したように、当時はまだこのビジネスモデルを「CXaaS」とはよんでいませんでしたが、「CXaaS」のメリットである営業フェーズの負荷軽減が、対応スピードが求められる社会情勢の変化における需要構造の変動に対応できる原動力となったと言えます。

　古今東西、重要局面においてスピードは価値を持ちます。本能寺の変を知り、備中大返しが功を奏して天下人となった秀吉は有名です。常識を上回るスピードが、チャンスを掴む必須条件という経験則は今後も変わらないと思います。

## 天王山を制する意義

　当社のようなベンチャー企業にとって、誰もが知る有名企業をユーザーに迎えることは売り上げ以上の意味があります。ブランディング的な効果は誰もが想像できでしょう。『CT-e1/SaaS』においても、東日本大震災のタイミングで獲得

した有名ユーザー企業の導入以降、提案段階においてそのユーザー企業の名前が安心感を与える重要な情報となったことは間違いありません。これは、情報の非対称性への対策の一つであるシグナリングに該当します。

　採用実績としての有名ユーザー企業の獲得は、ITツールを提案する上で極めて重要な要素であると言えます。山崎の戦いでの勝利なしに、その後の秀吉はありません。そして、このようなユーザーを是が非でも獲得することを目指す上で、「CXaaS」を念頭においた運用は、組織的に無理なく有利な提案を展開できる効果を期待できるのです。

　また、スタート間もないビジネスに対して、社内メンバーの自信を深め、モチベーションを高める効果は無視できないと思います。いくら優れたサービスであったとしても、実体がなくては心の底から信じることはできません。この半信半疑の状態で、個々の負荷が高いサービス黎明期の混沌を戦い続けることは、いわば消耗戦です。それが、誰もが知る有名企業への導入となれば、これまで苦労して作り上げたサービスが認められたと思うでしょう。

　そうして、自社サービスへの自信は愛着につながり、さらにユーザーに喜んでいただくために努力するという、良いサイクルが徐々に生まれ始めます。大勝負に勝ったことのあるチームは、自信をつけて、強くなっていくのです。

## 投資判断のシンプルさとコンパクトな組織

　2009年の『CT-e1/SaaS』サービス提供開始から4年、コムデザインは2012年度に黒字化を果たします

　2009年当時は、『CT-e1/SaaS』ライセンスの売り上げ2,400万円に加え、受託開発を組み合わせて、なんとかやりくりをしていました。2011年の東日本大震災を機とした利用企業数の増加を経て、『CT-e1/SaaS』ビジネスに専念できるようになります。「CXaaS」で安定したマネタイズが実現できるようになったことを意味します。

　「CXaaS」の運営における特長の一つに、投資判断のシンプルさがあると思います。究極的には、人件費とシステムの運用費以外を考えなくていいからです。システム運用費の判断は、ユーザーの追加に合わせて検討していけばよく、あまりシビアな判断は求められません。サーバやネットワーク機器など汎用的な部材を調達するため、特定のメーカーや販路に依存する必要がなく、合理的に選択できます。

　もう一つの要素、人件費についても堅実な判断が可能です。「CXaaS」においてはエンジニアが営業を兼ねているので、人件費＝原価として考えられます。コムデザインの黎明期の失敗は、積極的な営業展開を見据えた人員の拡充に対して、期待した売り上げが上がらないことで破綻したことが要因でした。ある意味、先行投資としての側面が強く、ビジネスが目論見通り拡大しなければ、逆に負担となるリスクが高いのです。それに対して、エンジニアが営業を兼ねる体制であれば、柔軟に求められる局面にあわせて人員を当て込めます。これにより、人材運用上の柔軟性が増し、仕事を与えられないという無駄が減ります。

　また、人員追加の判断はライセンスの売り上げに対してプラスになるように行えばよいため、大変シンプルです。ライセンスビジネスとして売り上げの乱高下がないこともあり、堅実な人員追加を実現できます。

　このように、先行投資的な人材採用に頼ることなく、ライセンスの増加に合わ

せて、着実に組織を拡大可能なシンプルでコンパクトな組織を実現できます。外部からの資金調達が許されない当時のコムデザインにとって重要なメリットでありました。

## クラウド提供による労働の効率化

コンパクトな組織を実現する上で欠かせない要素は、クラウド化によるメリットでした。オンプレミス型システムを提供していた『CT-e1 プラットフォーム』では、ユーザー企業のサポートのため、個別に現地に訪問しての作業が求められました。当然、人手が必要でした。

それに対して、クラウドでは、ネットワークを通して現地での作業をしなくてもサポートできます。このことは、少ない人員で小規模からサービスを提供でき、またユーザー数の増加に対しても大幅な人員を拡充することなくビジネスのスケールを大きくしていけるというメリットがあります。「CXaaS」に求められる投資要素として人員をあげましたが、クラウド提供となることで投資効果として効率を高めていると言えるのです。

## 売上高は1.9倍、営業利益は5.4倍

『CT-e1/SaaS』による2019 〜 2021年度の業績は、売上高は1.9倍、営業利益は5.4倍という結果になりました（図5.6.1）。ビジネスの拡大により、広告予算や販売管理費などの増加を加味すると、ユーザー規模の拡大にともなって利益率の高い成長性を示していると理解できます。

価格競争力の獲得を目的として、ユーザー企業への提供価格を抑えることで、1案件あたりの利益は多くはありませんが、利用ユーザーの増加により、利益は積み重なっていきます。一方で、必要な人員を追加したとしても、ユーザーの増加率ほどの人員追加は必要ありません。導入支援と継続的な技術サポートを考慮しても、絶え間なく開発タスクが発生する訳ではないからです。

このことにより、原価として占める人件費の割合はどんどん低下していき、結果としてサービス提供当初の利益率が約8％であったのに対して、現在は25％弱程度まで改善しています。そして、ライセンス数が減少しない限り、収益は安定したものとなります。

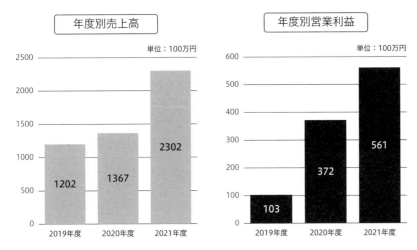

● 図5.6.1　コムデザインの3カ年の売上高、営業利益

# 5.7 「CXaaS」を生んだ組織

## 黎明期の『CT-e1/SaaS』と生まれるグルーヴ感

『CT-e1/SaaS』を提供するにあたって、黎明期はまさしくCMMIでいうレベル0、すなわち混沌でした。ユーザー企業からの要望の一つ一つが、これまで経験のない初めてのチャレンジの連続だからです。常に新しい方法を模索しなくてはならず、ユーザーとのコミュニケーションもプロフェッショナルとして自信のある回答が難しいことも多々ありました。結果として、速い馬を欲するユーザー企業には速い馬の用意を目指すような、非効率なプロジェクトも存在しました。もちろん、負荷が高く、効率もあまりよくありません。

しかし、この試行錯誤の中で、『CT-e1/SaaS』がその後CTIという製品カテゴリーの中で専門性のあるITツールとして評価されるようになり、FAEはプロフェッショナルに値するノウハウを培うことができたのです。

この時期は、幸いなことに知名度も低くユーザー数も少なかったので、ドタバタした状態でも対応できました。実は、これが重要なことで、この時期にマーケティング的な工夫を凝らすことで爆発的に提案依頼が殺到していたら、コントロールできなかったでしょう。マーケティングや営業活動のためにリソースを割けないという事情もありましたが、結果として技術者集団として、なんとかこの混沌期を乗り切る方が、企業戦略としての優先度は高かったのです。

また当時は「全員野球」と冗談のように語っていましたが、一つ一つのプロジェクトとサービス運営に対して全員の協力が求められました。多忙を極めたため、たび重なる困難なプロジェクトに対しては、音楽でいうところのグルーヴ感、つまり一体感や高揚感を持ちながら仕事に没頭し、乗り越えていくことが求められました。この過程が、企業としての結束を固め、また企業文化を育む原初的な経験となっていきます。そして、「CXaaS」における特長の一つでもあるマルチロールとしてのFAEが生まれてきたと言えます。

## 混沌を乗り越えるチーム

　黎明期の混沌が生み出す困難を乗り越えるにあたって、チームとして求められた素養がいくつかありました。それは、楽天的であること、熱心であること、誠実であることです。

　困難なときほど楽天的でなければ乗り越えられません。混沌期に直面する課題に対して、リスクに目を向けると、挑戦をやめてしまう理由は山ほど作れます。難しい課題に対して、まずは挑戦してみるという楽天的な発想がなければ、黎明期の立ち上がりを乗り越えることはできないでしょう。

　そして、目の前の課題に熱心に取り組むことは、できるかどうか微妙なプロジェクトを成功させる重要な要素です。全員がプロジェクトの成功に向けて熱心に取り組むことでグルーヴ感が生まれ、それぞれの関係調整などを気にすることのない、シンプルに仕事に没頭できるな環境が生まれます。

　最後は誠実であること。混沌期のプロジェクトでは当然失敗も数多く経験します。そんな時に、誠実であることは依頼するユーザーのみならず、プロジェクトのメンバーの心身を健全に保つ上でも重要な要素だと思います。適当に取り繕うことは、一時の時間稼ぎになるかもしれません。しかし、そのほころびは、ユーザー企業に見つかれば信頼をなくし仕事を失うことになります。メンバーとしても後ろめたさを感じ、言い訳をしながら働くことはサービス、ひいては会社そのものに対する不信感につながります。誠実であることは、組織を団結させ、メンバーに自信を与える単純かつ重要な要素であるのです。

## 成熟に向けた文化継承と変化

　「CXaaS」という、『CT-e1/SaaS』の黎明期の必要性に迫られて生まれたサービスモデルを定着させるためには、「CXaaS」を生んだ組織文化の継承と最適化が求められます。

　黎明期から成熟期において、企業の雰囲気が変わっていくという経験談はさまざまな企業において聞かれます。コムデザインでも、ビジネスとして成長し、組織が成熟していく中でメンバーが増え、現在は50名を超す企業へと成長しました。また『CT-e1/SaaS』の提供開始時と比較すると、FAE、メンテナンス保守、開発、サポートオペレーションなどサービス提供および運営に直接関わる組織だけ見ても分業化が進んでいます。会社組織が大きくなり複雑化すると、黎明期で

見られたようなグルーヴ感や、求められた資質をいかにして文化として残していくかは重要な課題です。また一方で、過去の成功にとらわれずに、適切な変化を遂げていくことも必要なのです。

## 失敗に学ぶ組織運営

2000年から2002年の『CT-e1 プラットフォーム』の失敗はインテルのディスコン（生産打ち切り）が決定打となりましたが、その組織運営には大きな反省がありました。

一つ目の反省は、役割を定義して組織的に区別する文化です。いわゆる縦割りの組織になり、メンバーをそれぞれの役割に当てはめ、その役割に対してのアウトプットを求めるやり方は、組織としての柔軟性を損なわせる要因でした。『CT-e1 プラットフォーム』では開発部隊とSI部隊が分断され、それぞれの責任範囲でしか動かない状況につながりました。結果として、統合的にビジネスを前進させようという機運が高まらなかったと考えられます。

二つ目の反省は、ロジックに基づく管理への絶対的な信奉です。営業的な不振が続くSI部隊に対して、徹底的にロジカルな解決策の立案とその遂行を求めた結果、組織的なハレーションが大きくなり、社長の解任動議にまで発展しました。ビジネスにおいて、ロジックが極めて重要なことは間違いありません。しかし、時として正論をもってしても正解の出せない難題が存在することも事実です。この現実から目を反らして、ひたすらロジックのみで組織を統制するには無理がありました。

『CT-e1 プラットフォーム』での失敗を踏まえて、『CT-e1/SaaS』の提供からコムデザインの組織運営は大きく変化します。マルチロールを基調とした役割分担とロジックに頼り過ぎない組織統制です。次の章ではその組織統制と運営についてご紹介します。

164

# 第 6 章

# 「CXaaS」を可能にする
# 組織運営

# 6.1 無駄の少ない組織運営が 「CXaaS」を実現する

## CXaaSは無駄が少ないことが重要

　「CXaaS」とは、これまでSaaSでは積極的には提供していないユーザーごとのカスタマイズ対応や、専門エンジニアによるサポートも含めて、定額のライセンス費での対応を価値としたサービスモデルです。さまざまな要素を合理化し無駄をなくさなければ、SaaSと比較してコストが増大してしまいます。「CXaaS」の提供において、徹底した合理化は必須要件と言えます。

　第4章では主に製品企画やマーケティング、営業といった現在のビジネスにおいて必須とされる機能を最小化し、カスタマーサクセスと一体となったサービス提供の優位性についてご紹介しました。これに加えて、企業活動における組織運営も重要な要素となります。かつてのコムデザインで見られた、組織運用の課題を構造的に解決し、効率化させることが「CXaaS」を実現する要件としては欠かせません。

　では、組織運営で考慮すべき要素とは何でしょうか？「CXaaS」運用での、主に考慮すべきポイントをいくつかあげていきます。

## 稼働のバランシング

　ソフトウェアの提供では、製造業のように原材料が必要になることはありません。人が主役と言って差し支えないでしょう。その人に対して適切な仕事を提供できず、持て余してしまう状況は無駄と言えます。また逆に、過度に特定の部署にのみ仕事が集中し、残業が当たり前になる状況が発生した場合、その部署のパフォーマンスは当然下がるでしょうし、他の部署と格差があればモチベーションにも影響すると考えられます。

　このように、忙しすぎず、暇すぎない状況をいかに実現するか、言い換えれば稼働のバランシングは組織運営において重要な要素と言えるでしょう。

## 管理するためのコストの最小化

　組織運営を考える上では、組織統制もコストとなる要素です。組織においては、管理職といわれる役割を設けるのが一般的です。

　また中間管理職として、さらに上位者との調整が求められる構造もよく見られるのではないでしょうか。主に社員の指導や管理、部署間の調整が、一般的に求められる役割ですが、サービスの本質的な価値提供に直接的に求められるものではありません。CXaaSを運営する組織にとって、サービスの本質的な価値に影響しない、管理職に求める役割を最小化しながら、効率的な運営ができることを目指すのは重要です。

## サービスと共に成熟できる組織

　「CXaaS」は専門的な知識を持つエンジニアがユーザーをサポートする点に価値があります。その人材育成は、サービスを成立させる上で重要な要素であると言えます。また、「CXaaS」はCMMIの成熟モデルに見られる過程をたどりながら、組織としても成熟していくことが求められます。

　縦割りの組織で、与えられた役割のみに特化することなく、運営するサービスの全体に寄与する視点を共有し、組織開発していくことが必要です。

## サービス維持のための採用コストの低減

　組織運営において人員の確保は重要です。ビジネスの規模拡大に合わせて求人が必要となることは想像しやすいと思います。また転職や退職による人員の入れ替えに対応するための、現状維持を目的とした求人も無視できないコストです。

　社員育成に関わるコストと一体ですが、現状維持に用いられる採用コストを低減するというのも、「CXaaS」を成立させるための合理化すべきポイントの一つです。

# 6.2 CXaaSを運用する組織の基本形

## 黎明期から機能別に変動していく

　「CXaaS」を運営する組織の基本形についてご説明します。ほとんどの企業において、黎明期には専門化できるほど人員に余裕がないのが一般的だと思います。社長が営業や経理を兼任し、社員全員が明確に仕事を割り当てられていなくても、誰かがやらなくてはいけない仕事が発生すれば、空気を読みながら分担するような状況です。「CXaaS」においても、黎明期は営業、導入支援、開発、問い合わせ対応が混然一体となった状況で運用されていきます。

　このような、一つの大きなグループにグラデーションがついただけのような状況から、サービスが大きくなるにつれて、機能別のサークルに分化していきます。効率的な組織運営を目指す上で、「専門化の原則」というものがあります。特定の役割に特化することで、効率が高まるという原則に則した正当な変化です。

　ただし、その定義はこれまで一般的なシステム提供企業で見られる、営業、エンジニアという区分ではなく、提供するITツールに関する技術的知識は普遍的に備えていることを前提とした区分となります。サービス提供および運営に直接関わる組織においては、原則「エンジニア」の肩書がつく点に特色があると言えます。

## パートナーとしてのサポートを行う「FAE」

　これまで紹介してきた通り、FAE（フィールドアプリケーションエンジニア）には、営業、導入支援、カスタマーサクセスといった多様な役割が期待されています。しかし、実際の業務は一貫しており、ユーザーとコミュニケーションをとりながら、提供するITツールを活用するために必要なサポートを行うことです。「CXaaS」を成立させる重要な役割であり、ユーザー企業に対して最低1名が担当します。またFAEは担当するユーザー企業を複数持つことが一般的です。

　ユーザーが求めるテクニカルなサポートについて、自ら設定作業することが求

められ、必要に応じて開発エンジニアとユーザー企業の間に立ち、要件調整を行います。ついては、自社が提供するITツールについて深いナレッジと実務的な能力が求められ、ユーザー企業と開発エンジニアとの要件調整にあたり、コミュニケーション能力が必要となります。開発エンジニアが作成した機能のテストとリリース判断など、ユーザーに関わる作業や判断の全般において中心的な役割を担います（図6.2.1）。

FAEの派生として、対外的には営業として活動するメンバーも存在しますが、CXaaSにおいてはFAE相当の提供するITツールに関する技術的な知識を持つ存在であることが一般的です。

FAE
フィールドアプリケーションエンジニア

**主な業務内容**
・ユーザー企業に1名担当として対応
・ユーザーの要望のヒアリング
・プロコードを用いない設定開発作業
・要望に対する開発エンジニアとの仕様の調整

**求められる能力**
・提供するITツールに関する専門知識
・提供するITツールに関する設定開発能力
・コミュニケーション能力

● 図6.2.1　FAEの主な業務内容と求められる能力

## CXaaSの心臓部「SOE」

「CXaaS」では、顧客が要望する機能をサービスとして、設定作業を含めて提供します。この特長により、原則として提供するITツールに対してたくさんの作業依頼が発生し、その依頼されたタスクを効率的に処理する必要があります。そこで求められるのがSOE（サポートオペレーションエンジニア）です。

FAEはユーザーとのコミュニケーションが重要な役割となるため、その稼働を確保する必要があります。ついては、ある程度定型化された設定作業についてはSOEに依頼して、FAEとしての稼働を確保します。また、FAEが提供する個別のコンサルティングとは別に、提供するITツールに関する汎用的な質問やサポート窓口は別途求められます。これらのサポートも、SOEに期待される役割

です（図6.2.2）。

　1対1でサポートするFAEに対して、多対チームとして対応するのがSOEです。この性質により、SOEのメンバーには協調性が求められ、チームを発展させていくためのモチベーションが期待されます。またFAEがより自由に動けるようになることで、営業、導入支援、カスタマーサクセスの役割を果たすための裁量が大きくなることを想定すると、その貢献はサービス全体に関わる非常に影響力のある存在であり、心臓部と言えます。

| SOE |
| --- |

サポートオペレーションエンジニア

**主な業務内容**
・ユーザー、FAEのサポート
・電話やメールなどによる問合せ対応
・プロコードを用いない設定開発作業

**求められる能力**
・提供するITツールに関する専門知識
・提供するITツールに関する設定開発能力
・チームで協力しながら働く協調性

● 図6.2.2　SOEの主な業務内容と求められる能力

## 安定したサービス提供を実現する「MOE」

　ITツールでは安定性やセキュリティ性が重要な非機能要件として求められます。MOE（メンテナンスオペレーションエンジニア）は、この非機能要件を高いレベルで保つべく、「守りのIT活用」の発想でITツールの提供に関わる運用を司るエンジニアのチームです。一方、FAEの役割は「攻めのIT活用」をユーザー企業担当者と共に実現することでした。

　MOEには、いわゆるシステム運用のプロフェッショナルとしての知識が求められます。提供するITツールに関する知識と合わせて、一般的なSEに求められるシステム運用上の常識も求められます（図6.2.3）。

　「CXaaS」が提供する価値に対しても理解を示した対応が必要となり、「守り」と「攻め」のIT活用を実現する上で、バランサーとしての役割を担います。彼らはFAEや開発エンジニアから提案される機能開発に対して安全に運用できるよう助言をし、可能な限り要望を実現するために手助けすることが期待されます。

| MOE |
| メンテナンスオペレーションエンジニア |

**主な業務内容**

・IT ツールに関わるインフラ運用
・安定稼働に向けた運用設計
・開発エンジニアとの運用調整

**求められる能力**

・提供する IT ツールに関する専門知識
・IT インフラ運用に関する専門知識

●図6.2.3　MOEの主な業務内容と求められる能力

## プロコードによる開発を担う「開発エンジニア」

　開発エンジニアはユーザーから要望された機能をプロコードで開発する役割を担います。いわゆるプログラマーを中心とした組織となり、「CXaaS」で提供するIT ツールが生み出す価値の源泉となります。

　彼らは、FAEと共にアジャイル型の開発プロジェクトに対して、ベースとなるIT ツールを軸として同時並行的に関わることが求められます。提供された仕様書に基づいた機能開発というよりも、FAEと最適な実現方法を議論しながら開発するプロセスが必要となります。ついては、プログラムコードを書くスキルだけではなく、創造的な提案力も兼ね備えていることが望ましいと言えます（図6.2.4）。

　「CXaaS」においてプログラマーは創造力の源泉です。またプログラマーから、FAEを筆頭とした専門的なプログラムの知識が乏しいメンバーへの歩み寄りも期待されます。

| 開発エンジニア |

**主な業務内容**

・プロコードによる開発作業
・FAE との仕様調整
・MOE との運用調整

**求められる能力**

・提供する IT ツールに関する専門知識
・プロコードによる開発能力

●図6.2.4　開発エンジニアの主な業務内容と求められる能力

## 中間管理職が存在しないサークル型組織

　「CXaaS」に見られるさまざまな役割は、サークルとよばれる集団で構成されることで効率的な運営が期待できます。サークルはヒエラルキー型の組織になっていません。多くの企業で見られる組織はヒエラルキー型で、部長から課長へ、課長からメンバーへと縦の命令系統で動きます。しかし「CXaaS」の場合、ユーザー企業から要望を受けたFAEは、その解決にあたり各サークルにタスクという形で依頼します（図6.2.5）。

　タスクは、部長や課長などの管理者の指示がなくても、サークル内の調整機能によって最適な人物に割り当てられます。調整される背景としては、すでに取り組んでいるタスクの量や求められるスキルなどの合理的な理由から、依頼者とのコミュニケーションなどを通して決定されます。上意下達の指揮命令系統は存在しないため、難度の高くないタスクを消化する上で意思決定に時間をかけることなく、スピード感ある組織運営が可能です。

　また、タスクの処理や割り当てについて判断に迷う場合は、各サークルの上位者に助言を求めます。この構造から上位者は管理職というよりも、そのサークル内のエキスパートとして、判断の手助けや、単独のサークルでは判断が難しいタスクの折衝が求められます。

　また、一つの命令系統に所属することが一般的なヒエラルキー型組織に対して、サークル型組織では複数のサークルの兼務がありえます。FAEとMOE、SOEとFAEのように、複数のサークルに在籍しているメンバーが存在するのです。このような兼務のメンバーが、各サークルの調整役を担うケースもあります。

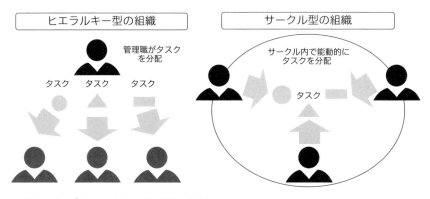

●図6.2.5　「CXaaS」によるタスク分担

## サークルミーティングで行う組織を越えた情報交換

　サークルでは、定期的な情報交換を目的としたミーティングが行われています。これをサークルミーティングとよびます。サークルミーティングではサークルに所属するメンバーの個々の状況をそれぞれが把握し、特定のメンバーに過度に負荷がかかっていたり、トラブルなどに巻き込まれていたりしないかをチェックします。また、成功事例や失敗事例を共有し、組織としての成熟度を高めていくような情報交換も重要になります。

　その他に、他のサークルメンバーがゲストとして参加し、共有や相談を行うことで、企業全体としての調整を図るコミュニケーションの場としても機能します。

「CXaaS」を可能にする組織運営

# 6.3 無駄なく働ける組織

## バランスの良い稼働を実現する組織作りが大切

　企業の運営上、仕事が特定の部署や人物に集中してしまう一方で、暇な部署や人物が出てしまうことは望ましくありません。単純に人材を持て余す状況が無駄だと言えますし、給与を仕事の対価として考えれば、組織内の人間関係においてさまざまな歪みとして噴出することは明らかです。このように、業務のバランシングは組織運営の課題になります。

　では、業務のバランシングが健全に行えない状況は、なぜ発生するのでしょうか？　その理由の一つは、専門化の結果、求められても行えない業務が生まれるからではないかと考えます。一般的なIT企業において、営業とエンジニアは明確に分かれていると思います。そこで、例えばエンジニアが忙しそうだとして、新規の営業案件の獲得が制限される状況は理解できると思います。また、新規の開発案件がないとして、エンジニアが暇をしている間、営業が案件獲得を目指して稼働している。これも想像しやすい、稼働のバランシングの失敗例ではないでしょうか。このように、互いの業務に干渉することなく、手を差し伸べられない組織関係が生まれた時点で、稼働のバランシングの失敗リスクは高まります。

　稼働のバランシングの失敗とは、設定された役割を超えることなく、できない仕事が存在することで発生すると言えます。

## 共通スキルの範囲を増やすことで成立する「CXaaS」

　組織運営についてのさまざまな考え方の一つに、専門化の原則というものがあります。組織の仕事を分業し、専門特化することで組織の効率が上がるという考え方です。仕事内容が安定していれば、この原則の効果は期待できます。しかし、変化の激しい現代のビジネスにおいて、限定的な役割とそれに応じた能力のみを求めることはリスクがあります。その失敗例は先に紹介した通りですが、限定された分野に特化した能力は応用が利かず、持て余す可能性が高まるのです。

　「CXaaS」では、提供するITツールに対する技術的な理解をベースとした共通スキルを基に、役割によってサークルに所属することとなります。この組織体制によって、稼働のバランシングが求められた場合はある程度柔軟性をもって対応できます。例えば、タスクが集中し、SOEの稼働がひっ迫した場合は、FAEが巻き取ることが可能です。またFAEの稼働がひっ迫した場合は、SOEが請け負う業務を拡大することで、FAEの負担を軽減するのです。この関係は、MOEや開発エンジニアのサークルも含めても同じであり、各自ができる範囲を手伝うという提案が可能になります。

　状況に応じてそれぞれをある程度補完することが可能な組織は、稼働のバランシングを目指す上で有利な要素であると言えます。

## タスクの起点はユーザー＝JIT発想の組織活動

　「CXaaS」を運営する理想的な組織において指示を与える管理職が存在しないことは紹介した通りです。タスクの起点はほとんどの場合、ユーザーとなります。

　トップダウンの組織では管理職がタスクを分配するにあたり、細かな情報把握とそれに基づく指示が必要となります。そこで、管理を目的とした組織のためのタスク、例えば報告資料の作成などが求められます。それに対して「CXaaS」の運営組織では、常にタスクの先にはユーザーがいます。ユーザーに対面するFAEが内容に合わせて各サークルに分配するのです（図6.3.1）。

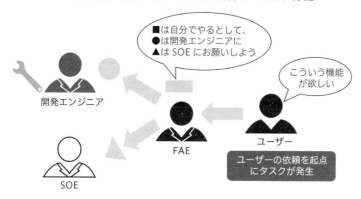

管理職に頼ることなくタスクを各サークルに分配

■は自分でやるとして、
●は開発エンジニアに
▲はSOEにお願いしよう

こういう機能
が欲しい

開発エンジニア

FAE

ユーザー

SOE

ユーザーの依頼を起点
にタスクが発生

● 図6.3.1　「CXaaS」に見られるJIT

このユーザーの依頼にけん引された組織活動は、トヨタ自動車の生産方式として有名になったJIT（ジャストインタイム）に近しいと言えます。トヨタ自動車のJITは発注を基にして後工程を動かし、余分な生産を抑制し、また生産管理のコストを低減する効果がメリットとして注目されました。「CXaaS」においても、ユーザーニーズを起点とした開発対応も同じ効果が期待できると言えます。

## ITツールを活用しながらタスクを分担

　タスクの起点はユーザーであることを考えると、原則FAEが自身で消化できない、または任せた方が効率の良いタスクを他のサークルに割り振ることとなります。例えば、定型的な設定作業はSOEに、サーバリソースなどの確保が必要な内容はMOEに、開発が必要な内容は開発エンジニアに、というようにです。割り振られたタスクは、サークル内のメンバーで分担されます。

　この分担を効率的に行うために助けとなるのがITツールです。各人が抱えるタスク量を可視化するITツールを用いて他のメンバーの状況を把握し、各自がバランスを取りながらタスクを自分で取りにいけます。

　また、コミュニケーションツールとして現在多くの企業で用いられているチャットツールも重要な存在です。チャット上でのやりとりから、各自が現在どんなタスクに取り組んでいるか把握できます。その他に、スケジュールを記載したカレンダーの共有などを利用して、形式的な管理の負担をかけることなく、各自が現在の稼働状況がどうなっているかある程度感じながら、それぞれのサークル内でバランスを取れるのです。

　これにより、ミーティングに頼りすぎることなく、リアルタイムでのタスクの分配が実現できます。そして、これらのITツールだけでは足りない部分を定例でのサークルミーティングで共有していくのです。

## シンプルなルールで社内調整が簡略化

　何か必要だと感じたことを提案する際、多くの社内調整が必要な企業が多いのではないでしょうか。管理職からの指示に疑問を感じながら、いやいや従うということもあると思います。「CXaaS」ではユーザーが要望し、対応できるのであれば対応すべきというシンプルなルールに則って意思決定がなされます。

これにより、機能開発や作業依頼をする際、その必要性について合意をとるための社内調整が簡略化されます。

　そのため、依頼したいタスクを持て余したり、必要性に疑問を感じたりしながらモチベーションの低い状態でタスク消化されないといったことは発生しづらい組織運営になっています。タスクがいつまでも消化されなければユーザーから指摘されるからです。

　収益性など複雑な判断基準を考慮することなく、また管理職の指示に依存することなく、ユーザーに満足して使っていただくという、シンプルなベクトルでさまざまなタスクが進行します。

## ユーザーという共通言語でパフォーマンスを評価

　管理職がいないというと、サボる社員が出るのではないかと心配する声も聞かれます。もちろん、人間なので生産性が低い状態は起こりえます。その状態を補正する力は管理者による指導ではなく、サークルとしての組織的な雰囲気に求められます。周りの人が忙しくしているときに、平然とサボれる人はあまり多くないでしょう。ITツールを通してタスクや稼働状況が可視化されれば、この組織的な補正力が生まれます。

　では、各サークル自体の生産性が低くなるとどうでしょうか？ 例えば、期待した納期での提供ができない、設定に不備があるというようにユーザーに満足なサービスを提供できない場合、ユーザーからの不満という形で露見します。そして、そのユーザーは遠い存在ではなく、FAEにとって極めて身近な存在なのです。つまり、手を抜けば、FAEが矢面に立たされることになり、FAEはユーザーの意向を代弁する形でパフォーマンスが低いことを指摘し、是正を求めます。

　このように、徹底的にユーザー志向のビジネスモデルであることが組織統制にも役立ち、管理者を置かなくてもサボりづらい、効率の良い組織となります。

# 6.4　シンプルな組織統制

## 評価すること、目標設定の難しさ

　「CXaaS」の組織運営の特色として指揮命令系統がないことに加えて、目標設定に応じたメンバーの評価を行わないこともあげられます。

　目標を設定する場合、営業担当者なら目標の売り上げや件数が設定され、それをクリアすることが求められます。そして、その達成度合いに応じて評価することが一般的です。しかし、この目標値の設定は非常に難しいものです。

　例えば、経営上必要な収益から逆算して目標値を設定したとします。しかし、これをクリアできない場合、取り組んでいる営業担当者のやり方だけに問題があるのでしょうか？　かつてのコムデザインの目標設定のように、そもそもクリアが難しい目標設定であることも考えられます。この場合、営業担当者からすれば、無理難題を押し付けられモチベーションが下がっているかもしれません。

　では、営業担当者の能力を推測して、クリア可能な目標値を設定するとします。この場合、営業担当者は頑張ってようやく100パーセントの目標達成を目指すアプローチを行い、できるだけ保守的に業務をこなして高い目標値を与えられないようにするかもしれません。この場合も、期待するパフォーマンスは得られず、それが組織的な慣習となれば、まさに負の連鎖が生まれます。

　絶対的な目標を設定し、それに則してメンバーを評価するということは非常に高度な作業です。そして、これらの設定こそが管理職に求められる役割の一つです。現在は、この目標設定の考え方として、従業員が目標を設定するMBO（目標管理制度）などさまざまな手法が登場していますが、例えばMBOにおいて従業員それぞれが考える目標が適切かどうかの評価が求められ、管理職の負担は増加していると言えます。

## 成果主義とモチベーション

　従業員を評価する方法として、競争原理を用いた成果主義も一つの選択だと思

います。同僚と比較してアウトプットを評価するわけです。しかし、競争をベースとした成果主義が必ずしも評価としてフェアかといえば、そうではない状況も起こりえます。配属された部署や地域、担当する製品などで状況は大きく変わるからです。また過度な競争は同じ企業内でのセクショナリズムなどの問題を引き起こし、健全な組織運営を逆に阻害する状況も考えられます。一見シンプルで公平な成果主義ですが、健全な競争となるためには、企業として相応の管理体制が求められます。

また競争がある以上、一定数の敗者が存在し、敗者のままモチベーションを維持することは難しいと言えます。海外のように流動性のある雇用環境であれば、循環することで適職に出会うことが期待できますが、敗者としてのレッテルが貼られたまま、不本意ながら会社に在籍し続けることは、本人にとっても、組織にとっても望ましい状況ではありません。

## 成果主義の逆効果

成果主義は、優秀な人材からすると自身に有利な条件となります。企業としても、優秀な人材を引き付けるアピールポイントとして人材募集時に利用するかもしれません。一方で、成果主義は一歩間違えれば、逆効果となるリスクをはらんでいると言えます。

例えば、「無能の連鎖」です。スティーブ・ジョブズが嫌ったことでも有名な「bozo explosion」がそれにあたります（図6.4.1）。自分が評価される立場で、会社に誰かを引き入れるのであれば、どう考えるでしょうか？未来の自分のボスになるかもしれない優秀な人材を進んで採用できる人は多くないと言えます。成果主義を前提としたとき、保身を考えた人材が存在することで組織は委縮していきます。

成果主義も行き過ぎると、モラルを無視したやり方に対して寛容になります。モラルよりもゲームのように成果が優先されるのです。結果として、本来意図した方向ではない、企業にとってプラスとは言えない方向への暴走が生まれます。このような暴走を防ぐために求められるのが、意図しない競争を防止するためのルールの追加です。このルールの追加が積み重なっていくと最後はルールで雁字搦めとなり、陳腐化した評価制度が出来上がるのです。

このように、一見シンプルに見える成果主義も管理職を含め組織的なコントロールが求められ、健全な運営のためには相応の管理コストが求められるのです。

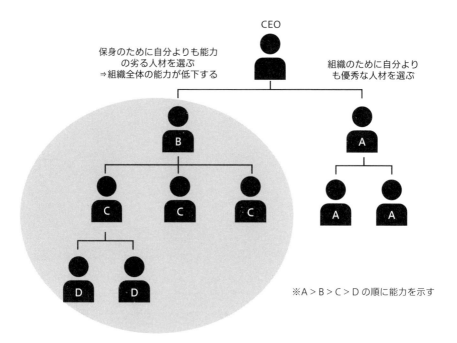

CEO

保身のために自分よりも能力
の劣る人材を選ぶ
⇒組織全体の能力が低下する

組織のために自分より
も優秀な人材を選ぶ

B

A

C　C　C

A　A

D　D

※A＞B＞C＞Dの順に能力を示す

● 図6.4.1　自分の立場を守るために無能を雇う "bozo explosion"

## 能力や成果の評価の比重を下げた年功序列制度

　成果主義による従業員評価を行い、成功している企業はたくさんあります。し
かし、「CXaaS」においては、あまり適性のある評価制度ではないと考えられます。
FAEは対外的に営業としての性質がありますが、彼らに営業目標を追わせるこ
とはありません。「CXaaS」では、組織がJIT的な発想で運営されていることは
ご紹介した通りですが、例えば目標達成を目的として強引なユーザー獲得が横行
した場合、各サークル間のハレーションは甚大なものになる可能性があります。
　またサークル内におけるタスクはユーザー起点で割り振られるものですが、そ
のタスク消化数を評価の軸とした場合、効率の良いタスクを進んで選んだり、効
率の悪いタスクがいつまでも残ったりすることが起こります。そういった事象を
防ぐために、各タスクに重みづけが必要となれば、それだけで一つの仕事になり、
重みがつけられていない新しいタスクは無視されることになるでしょう。公平で
緻密な誰もが納得するような評価制度を作り出すということは、それだけで壮大
な仕事となってしまいます。

　「CXaaS」においては、これらの評価制度の作り込みにはこだわらず、昔ながらの年功序列制度での運用が好ましいと考えています。個々のパフォーマンスを厳密に評価し続けるよりも、「CXaaS」の仕組みの中で真摯に働いてもらうことに対して、あれこれ優劣をつけることなく平等に待遇するのです。

　企業としては評価制度をあれこれ悩む必要はなく、従業員としても働きに対して評価された、されていないと一喜一憂することなく平穏に過ごすことができます。

## 経営層はこの健全な環境を守ることが最大のミッション

　年功序列制度は、基本的に人員の流動性が少ない仕組みです。成長期に雇った社員が過剰人員となり、経営を圧迫するのではないかという不安があると思います。「CXaaS」では、サブスク特有の安定した収益基盤があるため、ライセンスの増加に合わせてその収支に見合った形で人員を配置していくことで、採用に無理がないビジネスモデルになっています。「CXaaS」を運営する企業において経営者としては、将来的なライセンスの収支と人員の配置のバランスを図ることが重要なミッションになります。

　長く勤めてくれることに対して、しっかりリターンとして返せる仕組みを提供することで、「CXaaS」の組織は成り立っています。

# 6.5 「いい人」であることが価値となる

## コンフリクトが発生したときに求められる基準

　仕事をする上で、意見のぶつかりはよくあることです。その衝突、コンフリクトを解消するには共通の目的や価値観を持っていることが有効です。「CXaaS」を運営する組織での目的は、多くの場合はユーザー企業に喜ばれるITツールの提供、ということになるでしょう。組織としての共通の価値観がたくさんの収益を上げる、効率よく稼ぐであれば、「CXaaS」の根底を揺るがします。

　では「CXaaS」の運営で求められる価値観とは何でしょうか？ それはモラルであるべきだと考えます。行為に対して見返りを求めない「CXaaS」では、ビジネスでは一般的な、経済的な合理性だけでは判断できない局面が存在します。その局面を創造的に解決する価値観が、モラルなのです。

　コムデザインでは、それをわかりやすく「いい人」と表現しています。

## 善意の方向はあらゆるステークホルダーへ

　「CXaaS」における「いい人」とは、単にユーザーに対してだけではなく、あらゆるステークホルダーに対して、いい人として立ち振る舞うことを求めています。

　ユーザーの要求に対して、FAEがそれを実現することを考えたとしましょう。その実現には、開発エンジニアに開発作業を要請することが必要だったとします。

　ここで、単純な顧客第一主義の観点に立てば、開発エンジニアの都合などに優先して顧客要望があるのだから、残業してでも納期を短縮して提供することが当たり前という、バランスの欠いた話にもなりかねません。このような価値判断が常態化すれば、当然開発エンジニアは疲弊しますし、その他のサークルもついていけなくなるのではないでしょうか？

　それに対して、「いい人」の発想は、関係する全てのステークホルダーへの配慮を求めます。他のサークルのタスクの状況を見つつ、負担が少ない形で割り振

り、無理な調整についてはユーザーに説明の上、折り合いをつけていきます。またユーザーが困っていれば、FAEだけではなく関わる他のサークルのメンバーも手を差し伸べて、なんとかサポートします。このような関係をよしとするのが「いい人」の考え方となります（図6.5.1）。

　一見、「あまっちょろい」考え方にも見えますが、利益などを共通言語とせず、各サークルが協力関係を築く上では、最も効率の良い取り決めであると言えます。

顧客にのみ「いい人」

顧客に尽くして当然！
協力することが当たり前！

ユーザー　FAE　開発エンジニア

近視眼的による社内調整
ハレーションを生み、生産性減

CXaaS に求められる「いい人」

ユーザーも、メンバーも
満足できる仕事が大切

ユーザー　FAE　開発エンジニア

広い視野による社内調整
ハレーションが減り、生産性増

● 図6.5.1　あらゆるステークホルダーにとっての「いい人」

## リスペクトがつなぐ関係

　社内関係が悪いと、仕事が頼みづらくなったり、情報連携がされずに混乱が発生したりと、効率が悪いことこの上ありません。社内での関係は、効率的な組織運営において重要と言えます。そして、社内関係を良好に保つ上で重要であると考えられるのが、他のメンバーに対して尊敬をもって接し、また他のメンバーから尊敬される「いい人」であることです。多くの仕事はそれぞれの仕事の積み重なりで成立しています、そしてそのことが日常となれば、「やって当たり前」「できて当たり前」という発想になることもあるかもしれません。しかし、感謝されない仕事に対しては、自主的にその厳しい仕事をやろうというモチベーションが生まれづらいのではないでしょうか。

　「CXaaS」はメンバー間の協力関係になければ、成り立たないビジネスモデルです。管理職により、強制的に仕事が割り当てられるわけではなく、各サークル内において自主的にタスクを取りにいくことが求められます。この時に、人間関

係に問題があり、この人のタスクは取りたくないなどの考えがあると、円滑な運営が困難になります。良好な関係を維持する上でも、それぞれの役割に対してリスペクトのある関係を築ける「いい人」であることが求められるのです。

## ゴーレムを生まないことの正義

　強制力に頼ることなく、JIT的な発想でタスクが循環する円滑な組織運営において、人間関係は極めて重要です。この人間関係を円滑に維持する能力こそ協調性であり、協調性はビジネスパーソンに求められる重要な素質です。

　優秀だけれども、他者に悪影響をおよぼす従業員を、ブリリアントジャークとよんだりします。例えば、自身の仕事ぶりは素晴らしく評価される一方で、周囲のメンバーに「お前は能力がない」などと言い放つ、嫌な奴です。ある意味成果主義に忠実な存在かもしれませんが、個人の仕事の成果に固執し、チームでのアウトプットの重要性には気づけない人材です。優秀ならば、多少性格に難があってもよいのではという意見もあると思いますが、組織全体としてのパフォーマンスを考えると、やはりマイナスの面が目立ちます。

　期待されていない状況でパフォーマンスが上がらなかったという経験がある人もいるのではないでしょうか？　これは心理学用語で「ゴーレム効果」とよばれ、上司などからの期待値が低いと、その期待通りにパフォーマンスが下がってしまうというものです。判断する際に自信がないため保守的になり、また仕事に対しても消極的になる心理状態は理解できます。これに対し、ゴーレム効果の反意語として「ピグマリオン効果」という、人は期待された通りの成果を出すという現象についての心理学用語があります。

　このように、人は想像以上に周囲の期待感に敏感であり、ブリリアントジャークが力を持った職場では、ブリリアントジャークのみが目立ち、ゴーレムと化した従業員が低いパフォーマンスで働かざるを得ないという、殺伐とした環境が想像されます。それに対して、「CXaaS」では能力よりも協調性を重視し、組織としても従業員を信頼することで、無理なくパフォーマンスの高い組織運営を目指すことが基本戦略となります。

## 「いい人」でいられるサービスモデル

　「いい人」でいることは簡単ではありません。無理があれば「いい人」などと言っていられず、より自己中心的な発想へと傾きます。

　そういう観点からも、ロジックのみで個人を評価し、数値目標で追い詰めるマネジメントは「CXaaS」には適さないと言えます。組織全体のパフォーマンスを意識した目標設定が必要であり、それは短期的なゴールを決めるものではなく、長期的な企業運営における指針、また重要な判断が求められた際の憲法のような存在であることが必要です。

## 「いい人」という抽象的な概念をクレドに落とす

　これまで見てきた通り「いい人」と一言で表現したとしても、そこにはモラル、協調性、理想的なモチベーションなどさまざまな要素を内包した抽象的な概念であると言えます。そして、「CXaaS」を提供する企業ごとに、これらの発想を明文化することは重要な作業です。

　企業の指針を示すものとして、企業理念や社是を定めている企業も多いでしょう。「いい人」については、これらよりもより従業員に求める行動指針や信条を表現することから、いわゆる「クレド」としての設定が望ましいと言えます。そして、「CXaaS」の提供において、難しい判断や、発生したコンフリクトについて、「クレド」を基に判断することで協調による解決を図っていくのです。事業運営を行う上で、究極的な判断の軸として機能することが期待されます。

### ■ コムデザインのクレド「Good People Charter」

　参考までに、コムデザインのクレド「Good People Charter」をご紹介します。「Good People Charter」では、企業価値や理想のスキル像、チーム像、モチベーションなどを端的に表現されています。また、序文ではそれぞれの人生にとって、あくまで仕事とは手段に過ぎないことが述べられていることが印象的です。

## ＜コムデザインのクレド「Good People Charter」＞

　私たちは、私たちにとって一番大切なものはコムデザインではなく、それぞれの守るべき人たちであることを知っている。

　そして、その人たちを守るためには、コムデザインと共に「いい人」として価値ある存在であり続けることが、最良かつ最短の道であるということを信じている。

　私たち「いい人」とその集団であるコムデザインは『Good People Charter』に従って、全力をあげてやさしく、強く、楽しい会社としていく。

1. 「困っていること」、「やってみたいこと」の本質を理解して、貢献して、喜ばれて、喜べる「いい人」であろう。
2. 親切な対話と気前のいいソリューション提供、そして変化をうけいれる柔軟さを持っている「いい人」であろう。
3. 出来ない理由から述べるのではなく、出来ることからトライして前進する「いい人」であろう。
4. メンバーに親切で、ユーザーに親切で、パートナーにも親切である「いい人」であろう。
5. メンバーの役割を理解して、自分の役割以外へも手を差し伸べられる「いい人」であろう。
6. メンバーを役職ではなく、役割を尊敬し、尊敬される「いい人」であろう。
7. メンバーの成功や活躍を声にだして喜んで、失敗や苦悩に声をだして励ませる「いい人」であろう。
8. メンバーがより簡単に、より楽しく役割を果たすための、あたらしい方法を常に考え続ける「いい人」であろう。
9. メンバー、ユーザー、パートナーにとってポジティブに感じられる「いい人」であろう。
10. 「いい人」であることを価値あるものにしよう。メンバー、ユーザー、パートナー、そして世の中にとって。

# 6.6 SOEからスタートする CXaaSのキャリア

## 「CXaaS」の心臓部であるSOE

　組織運営上、教育や組織開発は重要なテーマです。「CXaaS」では、さまざまなユーザーと接しチームで業務をこなすSOEサークルは、教育機関としての性質もあります。

　不特定多数のユーザーからの問い合わせや依頼の窓口になっているため、ユーザーにとってFAEと共にサービスを代表した「顔」としての立ち回りが求められます。SOEは多様な問い合わせや依頼を受けることになります。また、提供するITツールについて、定型化された設定作業をタスクとしてこなすことが求められ、提供するITツールに関してエンジニアとしての基本的な知識が必要となります。

　SOEは特にチームでの仕事が求められるため、「CXaaS」提供において重要なポイントとなる協調性を身に付けるには最適な環境といえるでしょう。「CXaaS」の心臓部であるSOEを経験することで、「CXaaS」に関わるビジネスのキャリアがスタートします。

## OJTで顧客ニーズとシステム構造を一度に学べる

　「CXaaS」における社員教育は、実戦力を重視して、OJT（オン・ザ・ジョブ・トレーニング）型が有効です。そして、「CXaaS」におけるOJTはまずSOEサークルでの業務経験となります。

　「CXaaS」を成立させる上で求められるのは、サービス提供に関わる全員がITツールの技術的な知識を備えていることです。この知識の習得において、定型の設定作業をタスクとして頻繁にこなしていくSOEの職務環境は優れています。新卒も中途採用者もまずはこの「SOE」のチームの一員として働くことで、ノーコードによる設定開発を経験し、ITツールの技術的な知識を深めていくのです。先輩社員がチューターとしてつき、実際にユーザーから依頼されたタスクを

こなしていきます。この過程を経ることで実務的な知識を身に付けることができ、またユーザーのニーズについても実際に触れ、知ることができます。

この SOE での経験が、例えば FAE としての役割を担うことになった場合、ユーザーに対して具体的なイメージをともなったニーズをヒアリングできるようになり、また設定作業が必要になった場合も自己完結できるようになるのです。

## 作業の負荷を知ることの意義

また SOE での経験は、タスクを依頼する立場になったときにも重要であると言えます。例えば、作業負荷を考慮せず、短納期でのタスクを平然と依頼してしまう状況は、実際に実務経験がないから発生します。またユーザーとの作業調整についても、SOE の負荷を想像しながら行えます。知識があるからこそ想像できることは言うまでもありませんが、円滑な組織運営において想像力は重要です。想像力の欠如が生む軋轢は、組織運営、ひいては組織内の人間関係にも悪影響をおよぼします。

このように、SOE の仕事を経験していることは、「CXaaS」を提供するサービス運営においては、重要なのです。

## 「CXaaS」を維持する「いい人」であることを身に付ける

SOE は、実務的な業務経験の場として最適であるだけではなく、「CXaaS」組織において求められる協調性が特に求められるサークルである点からも、優れた教育機関としての性質を備えていると言えます。SOE は、原則 FAE や時にはユーザーから直接依頼されたタスクをチームで消化していく組織です。組織の性質として、その献身性は特筆に値し、その組織での経験を通して学ぶ「CXaaS」を支える考え方は、その後別のサークルでの役割を担うことになったとしても求められる要素です。

このように、SOE は実務的な教育機関としてだけではなく、クレドに表現される「CXaaS」において求められるモラル、協調性、モチベーションを体験し、学び、浸透させるための重要な機関なのです。

実務能力と求められるマインドを浸透させる役割を果たす SOE は、支援的な業務に加えて「CXaaS」を運営する組織の教育機関を兼ねたマルチロールとなり、人材教育の効率性を高めています。

# 6.7 「いい人」に長く働いてもらってこそ成立する

## 属人的なサポートも良さとなるサービスモデル

ビジネスにおいては、属人化は歓迎されない風潮があります。実際に、2025年の崖は、属人化の弊害と言えるかもしれません。一方で、属人性が強みとなる例も多々あります。例えば、いきつけの飲食店などは、そこで働く店主や料理人の個人の魅力によるところが大きいケースもあるでしょう。またコンシェルジュ的な役割は、担当がころころ変わるよりもいつも同じ人に相談できることに安心感があるのではないでしょうか。

「CXaaS」は、ユーザーにとってパートナーとしてFAEが伴走するビジネスモデルです。そして、この担当FAEは頻繁に変えるよりも、できるだけ同じ担当者がサポートし続ける体制が望ましいと考えます。ユーザーと長年の付き合いがあり、よく内情を知っている担当者というだけで、価値が出てくると考えているからです。「なじみのFAE」なんて言葉がこれから聞かれるようになるかもしれません。「なじみのFAE」こそ、単発的ではなく長年のコミュニケーションによる情報共有の結果、ユーザー企業の状況を熟知した貴重な支援者としての価値を持ち、結果として「CXaaS」の付加価値向上につながるのです。

## 意外と効率が良い属人的なサポート

担当を変えないことは効率化にもつながります。引き継ぎがうまくいかないから属人化してしまう仕事が生まれているのかもしれませんが、開き直ってしまえば、引き継ぎなどの業務的なコストの発生を低減できるとも言えます。

一方で担当者を変えざるを得ない状況を想定した準備は必要です。ITツールに関する設定情報はシステム上で管理されているので、引き継ぎコストは小さく済みます。ここさえしっかりと押さえておけば「2025年の崖」に見られるシステム運用上のクリティカルな状況は発生せず、サービス運営上問題となる状況は起きません。

このように、システムや契約に関する定型的で引き継ぎやすい情報以外にも、サポートする上で有益で非定型な情報は多々あります。例えば、これまでユーザー企業と二人三脚で歩んできた試行錯誤の経緯やユーザー組織内の人間関係などです。

　また、FAEのユーザー企業担当者への向き合い方にもメリットはあると考えられます。短期的な関係であると割り切れば、担当が変わるまでの時間稼ぎと考えて、関係を軽んじた対応の余地が生まれます。それに対して、ユーザーである限り、自分が対応すると考えれば、丁寧に接して良好な関係であり続けることを目指すのではないでしょうか。ユーザーによる評価が管理機能を果たす「CXaaS」において、ユーザーとの長期的な関係を前提とした運用は合理的なのです。

## 人が定着しないことによるコスト

　組織運営において、求人コストは馬鹿になりません。人材の新陳代謝が活発であると新しい文化の流入が期待できますが、一方で企業としては継続的に採用し続けなければなりません。この求人のために人手もお金も必要となります。採用後は教育が必要となります。また、専門性を高めることが重要な「CXaaS」において、経験は重要です。円滑な運用のためには、人間関係も重要になります（図6.7.1）。

一人前の仕事を任せられるまでの期間と教育にかかる人手

教育コスト

採用コスト

コミュニケーションコスト

リクルートに必要な費用や人手　　企業組織になじむまでの苦労

●図6.7.1　一人前になるまでの人材コスト

　それに対して、出入りの激しい組織はこれらの要素にとってマイナスであり、

「CXaaS」ではできるだけ安定して、長く働いてもらうことが運営上重要であると言えます。そして、この安定して長期的な雇用体制は、FAEに求められる属人的なサポートを実現し、引き継ぎなどに求められる管理コストを低減する機能を果たします。

## 辞めてしまう理由は何か？

　前職の同僚から、早期リタイアや役職定年といった組織の新陳代謝を促す取り組みに対する不安の声を聞くことがあります。「CXaaS」では、それとは正反対の雇用戦略となり、長く働いてもらうことに価値を見出します。しかし、いくら会社にとって都合が良くても、従業員が長く働いてくれるかは別の問題です。ついては、辞めてしまう理由に対して、対策を講じる必要があります。

### ■ 長く働き続けられる労働環境の用意

　真っ先に取れる対策は、雇用条件、特に賃金に関する不満を低減することです。賃金と任される仕事の関係のバランスが悪くなれば、当然、割に合わない仕事を続ける理由はなく、人は辞めてしまいます。長く働き続けてもらうには、賃金と雇用条件について十分に配慮が必要となります。

　コムデザインはいわゆる大企業ではありませんが、プライム市場上場企業の年齢別の平均給与を参考に、給与設計をしています。高額な年俸提示による人材獲得や成果主義の会社に見られる、インセンティブによる強烈な追加収入はありませんが、社員が家族と一緒に安心して暮らしていける賃金を引退するまで支払うことを目指した給与設計になっています。

　また賃金に対して、労働環境が悪ければ当然バランスが悪い状況が発生します。無理な残業を強いることなく運営できる合理的な労働環境の整備にも気を遣っています。コロナ禍をきっかけにいち早くテレワークに移行し、また現在は廃れ気味のプレミアムフライデーの奨励など、派手さはなくても社員にとって極力働きやすい環境を提供することは、「CXaaS」組織の運営上重要です。

### ■ モラルと余裕のある職場関係

　退職の理由として人間関係をあげる人もいるでしょう。もちろん、人間ですから、馬が合わない人もいるでしょう。ただ仕事の人間関係において、仲が良いのに越したことはありませんが、必ずしも友人といえる関係は必要ありません。ビ

ジネスを健全に行える程度の協力関係を提供できる間柄で十分なのです。

　では、仕事における人間関係の悪化は何が原因になるのでしょうか？ それは、無理がある仕事とそれを無理強いされることで生まれる歪みではないでしょうか。余裕がある状況であれば、あえて他人に意地悪をしようという人は多くはないはずです。余裕がないからこそ、気遣いのない言葉使いや対応が生まれ、それに傷つく人が出てきます。そして、傷ついた人も余裕がなければ、このハレーションはどんどん連鎖し、大きくなっていくのではないでしょうか。

　このハレーションを防ぐには、余裕のある労働環境の整備が有効です。また、モラルを重視した「いい人」であることを最重要の能力とすれば、組織としてこのハレーションを生み出す元凶を補正する力が働きます。ブリリアントジャークのような人物は、採用時点で選考外となることが望ましいですが、組織として単独の仕事の能力よりも、協調性を重視する風土を育んでおくことは重要だと言えます。

## ■ 全員が仕事を持てる環境作り

　また、仕事としてのやりがいの有無は退職の理由になり得ます。この、やりがいの定義は非常に個人的なものとなり、組織として明確な回答は難しいものです。その中で、「CXaaS」組織が提供できるやりがいとしては、タスクが回されないポジションや人が生まれる可能性が低いことがあげられます。「窓際」なんていう言葉もありますが、これは稼働のバランシングの失敗によって起きる空白です。この状態になれば、いかに優秀な人物であったとしても、モチベーションを維持することは難しいでしょう。

　このように、役割を持たない人を生まない点は「CXaaS」組織の長所です。また、FAEを筆頭に各自の裁量が高い点は、やりがいにつながるかもしれません。管理職にコントロールされた組織ではありません。自立して能動的に働ける点は、やりがいを感じる機会が多いと言えます。

　一方で、競争性の高い社風の中で切磋琢磨しながらキャリアアップを目指すであったり、転職を繰り返しながら自分のスキルを磨き続けたいという人材にとって「CXaaS」組織で継続的に働き続けることは、魅力にならないことが想像できます。

## 長く雇用するリスクと時代背景で変わる必要人材の関係

　コムデザインの例ですと、退職率は非常に低い状態を継続しています。1年で1人が辞めるかどうか、年2パーセント以下の離職率です。この数字からも「CXaaS」組織の運営戦略である、長く働いてもらって利益を出すという状況を実現できていることがわかります。

　長く働いてもらうことは人材の硬直性につながり、場合によってはリスクになります。時代によって、必要とされる人材は変わります。ITツールの発達により、バックオフィス業務に求められる人材が削減され、また業態の変化によって必要なスキルも変わっていきます。

　伸び盛りの会社であれば営業人材を雇いたいし、伸びが鈍化した段階では営業が不要になります。早期退職の話が聞かれるのも、このような企業と人材のミスマッチを克服できない結果なのではないかと思います。

　こういったリスクに対して、あえて新陳代謝を早める運用も一つの方法でしょうが、「CXaaS」組織では長く雇用することを選択しています。では、将来のリスクに対して、どう向き合うべきなのでしょうか？ まだ「CXaaS」組織としての出発から15年弱しか経過していないので、結果については今後確認する必要がありますが、窓際を生まない組織運営、つまり人材のマルチロール化を前提とした運営こそ、回答ではないかと考えています。

　そして、製品ライフサイクルとして必ず終わりが来るように、特定のITツールを軸とした「CXaaS」型サービスもいつかは終焉が訪れます。その終焉に対して、別の分野への「CXaaS」展開や関連多角化を行い、次のポートフォリオを目指すことになり、「CXaaS」に関わる人材も次のポートフォリオに合わせたスキル習得を目指すべきだと言えます。

### ▌サービスの終わりまで付き合い続けるという選択肢

　引退間近の人材については、無理にそのポートフォリオの移行に付き合う必要はありません。製品ライフサイクルの終盤に差し掛かり、収益の減少が始まったとしても、すぐに契約者が0になるということはありません。徐々に減るライセンスに合わせて、「CXaaS」を支えた人材も定年を迎え、徐々に引退していくことでバランスしていくことが理想です。

　「CXaaS」の運営者に求められるのは、関わる人がライフワークとして働き続けられる組織設計であると言えます。

# 6.8 最小限の営業体制を実現するために

## 過剰な需要は「CXaaS」に向かない

　コムデザインの営業体制は、FAE業務の一環として行われているもので、組織での比重は非常にコンパクトです。一般的な企業からすれば、本当このような組織体制でセールスを行い、売り上げを確保できるのか疑問に思われるのではないでしょうか。またFAEにおいては、新規ユーザーの獲得目標などはありません。では、なぜ営業体制が小さいままで成長できるのでしょうか？

## 先行した人員への投資よりも堅実な組織拡張

　「CXaaS」組織はライセンスのボリュームに合わせて、エンジニアリソースを追加していくビジネスモデルです。初期のコムデザインで見られた先行投資的な人員追加による失敗の反省とも言えますが、短期的に契約数を飛躍的に伸ばすビジネスモデルはB2BのITツールにおいて、導入提案の複雑さから現実的ではないという前提で考えられています。この前提に立てば、営業的な人員をできるだけ抱えることなく、堅実に組織を拡張していく戦略は現実的であり、効率的であると言えます。

## プル型を前提とした営業組織

　営業組織を大きくする必要はありませんが、ユーザーの流入がなくてはビジネスにはなりません。そこで重要なのは、プロモーション戦略です。売りに行くのではなく、プル型、つまり買いに来てもらう仕組みを用意することが必須です。
　幸いなことに、現在はB2Bのシステム検討に役立つWebプロモーションサイトも充実し、特に比較サイトにはあらゆる分野のシステムが掲載されています。かつてのコムデザインの販売戦略の課題であった、大手ITベンダーを通した営業が必須環境だった時代と比較すれば、そのような販路を持っていない企業の

ITツールについても、ユーザーに認知してもらいやすくなってきたと言えます。

　では、プロモーション戦略を考える上で何が重要かといえば、こうした比較サイトにおいて比較対象になることです。B2Bにおいて、比較サイトを見て1社のみに声を掛けるということはありえません。必ず数社に声を掛けるはずです。だからこそ、1番ではなくても2番手3番手に掲載されることにこだわって対応していくべきです。そして、必ず「CXaaS」の強みである、ユーザーニーズに合わせた自由なカスタマイズを訴求するべきです。検討するユーザー企業からすれば、帯に短し、襷に長しのITツールの比較において、この訴求点を無視することは少ないはずです。

　しかし、合理性だけでは選ばれるとは限らず、展開当初はブランド的な知名度の低さから選考対象から外れることも多いと言えます。

## まずは天王山をとりにいく

　比較対象の土俵に乗れば、自分たちの技術力を売る形になります。ユーザー企業が比較している他のサービスで足りない部分を徹底的にヒアリングし、その実現を約束することで、営業的な訴求力は強いものとなるでしょう。検討企業の中には、知名度が低かったとしても、技術力とその価値を評価してくれる企業が必ず現れます。

　そして、その中で誰もが知る有名企業があるとすれば、死にもの狂いでの獲得が求められます。それが、いわばオセロの四隅、天王山です。天王山を押さえてしまえば、以降の展開は急速に加速していきます。無名だったサービスが、看板を得るようなものなのです。

## 大切にしたいパートナー企業との営業的協力関係

　サービス展開の初期は知名度もなく、直接販売が主軸となりますが、次第に製品力や「CXaaS」の持つ柔軟性に着目し、大手ITベンダーを筆頭としたさまざまな企業から、パートナーとしての営業的な協力関係の申し入れがあることは予想されます。このようなパートナー企業は大切にしたい存在です。彼らは老舗としてシステム導入の黎明期から、たくさんのユーザーとコネクションを保有しています。Webプロモーションなどでは出会えないユーザーへのアクセスを可能にする、これらのコネクションにしっかりアプローチしていくことは重要です。

ただし経験上、パートナー企業の営業活動に過度な期待は禁物です。彼らには彼らのビジネスがあるためです。

## パートナーにとって売りやすい存在へ

　パートナー企業の存在は、営業リソースを最小限に抑えたい「CXaaS」ベンダーにとって重要です。良い関係を築くためにパートナーにとって売りやすい存在になることが何よりも重要です。パートナー企業にとって、その分野のオンリーワン企業になる必要があります。

　「CXaaS」が持つ特徴は、特定分野において、特殊なニーズを埋めるための便利屋的な役割を担うことができます。そのため、ITツールとしての魅力だけではなく、エンジニアの技術力に頼った駆け込み寺的存在として重宝がられたりもします。また、揺れ動くユーザーニーズに対しても見積もりがぶれることが少ないため、提案する上での安心感もあり、担当者レベルでは提案しやすいサービスとしてのポジションに収まることが期待できるでしょう。そのようなプラス面をパートナー企業に知ってもらい、うまく使ってもらうことが理想となります。

## パートナー企業はCXaaSが持たない価値を補完

　パートナー企業と「CXaaS」の関係では、双方が果たす役割について慎重に調整する必要があるでしょう。例えば、CTIとそれに付随する電話回線の提案のように、パートナー企業が電話回線で収益を得られる関係であればあまり問題にはなりませんが、従来のSIer的な役割で収益を得るパートナー企業の場合、「CXaaS」が提供するエンジニアのサポートとの区別は重要なテーマとなります。そして、SIerの役割と「CXaaS」の共存は実現可能です。

　「CXaaS」では効率を重視してアジャイル開発での機能提供を行います。ついては、仕様書などのドキュメント作成は最小限に抑えながら、どんどん開発し、出来上がったアプリケーションを試してもらうのです。このやり方がマッチするユーザー企業であればなんの問題もないのですが、中には「守りのIT活用」に見られるウォーターフォール型のシステム開発を望まれるユーザー企業も存在します。このようなユーザーに対し、求められるがままに対応していれば、「CXaaS」を成立させられる効率的な開発運用は成り立ちません。

　そこで求められるのが、SIer的な手法を熟知したパートナー企業です。

「CXaaS」提供事業者は開発力を提供し、仕様作成を含むSE作業をパートナー企業が役務として提供するのです。この関係においても、開発作業で見積もりがぶれない「CXaaS」は、パートナー企業にとって好ましい存在だと言えるでしょう。また、複数のITツールを組み合わせて導入する場合でも、ユーザー企業に代わり各ベンダーの統率を担うことにSIerとしての価値があると言えます。

　現在、ITツールのサービス展開として、「CXaaS」はSaaSほど一般的な方法であるとは言えません。しかし、これから「CXaaS」が一般化した場合も、ユーザー企業のシステム環境を熟知し、各「CXaaS」ベンダーとユーザー企業のコミュニケーションを支援する存在としてSIerは価値を失うことはないと考えられます（図6.8.1）。

　これまで、多重下請け構造により複雑で不透明になっていたITベンダーの協力関係が、「CXaaS」やSaaSの普及によって透明化が進み、ユーザー企業にとっても、より明快にそれぞれの役割に適したベンダーを選定できる環境の実現が見込まれます。

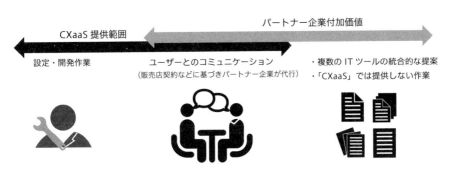

●図6.8.1　CXaaSとパートナー企業の役割分担

# 6.9 皆がエンジニアとして 働くために

## 社内向けのノーコード、ローコード開発環境を用意

　「CXaaS」では営業に特化したリソースを抱えず、エンジニアリソースを重視した組織にすることが、組織運営に役立つのはこれまで述べた通りです。さて、エンジニアという言葉から、その専門性の高さ、育成難度の高さを想像される方も多いのではないでしょうか。

　「CXaaS」において、いわゆる汎用的なITに関するナレッジが求められる役割は開発エンジニアとMOEとなります。それ以外の人材は未経験でITスキルに乏しくても、「CXaaS」組織で働くことで、提供するITツールに関してはエンジニアと言えるナレッジとノウハウを身に付けることができます（図6.9.1）。

機能開発依頼

開発エンジニア

FAE

一度、開発された機能は、FAE、SOEがノーコード、ローコードによる設定で提供可能

機能開発

さまざまなユーザーへの展開を想定した機能開発が求められる

・モジュール単位で機能開発（既存環境に影響を与えず、希望があれば別ユーザーにも提供可能）
・FAE、SOEが利用可能なノーコード、ローコードによる設定インターフェースを用意

● 図6.9.1　CXaaSにおける開発作業

　そのカラクリとしての重要なポイントは、FAEやSOEが設定開発する環境は、原則としてノーコード、ローコードで対応できる仕組みを用意することです。開発エンジニアがユーザーニーズから機能開発を行う際も、以降、同じ機能を利用する場合は極力ノーコード、ローコードで利用できる仕組みを用意し、開発エンジニアの負荷を下げる運用が求められます。言い換えると「機能を開発し、2度

目以降は簡単に利用かつ設定できる」までが開発エンジニアに求められる開発要件となるのです。

　機能開発は原則としてモジュールとして扱われ、基本となる IT ツールに対して、各モジュールは干渉せず、必要となるユーザーには有効にするだけで簡単に利用できるようにしておきます。こうして、ユーザーニーズから生まれた機能を、手軽に、より多くのユーザーへの提供を実現するのです。

## 社内エンジニア向けであることと効率化

　SaaS において、ノーコード、ローコードの開発環境の提供は、ユーザーが利用することを想定して行われます。一方で、「CXaaS」では、社内エンジニアに向けた提供です。この差は大きいと言えます。

　どうせそこまでやるのであれば、ユーザーにやってもらった方が効率が良いのではないか、という考え方もあります。しかし、技術的なバックグラウンドが何もない人物に、ノーコード、ローコードの環境を提供すると何が起こるでしょうか？ まずは、詳細な説明が必要になるでしょう。また細かな調整が必要になるたびに、アナウンスが求められます。さらに、より多くの人が扱えるユーザビリティへの配慮も必要になるでしょう。

　このように、「知らない人」に対して自立して利用できるまで十分にサポートしようと思うと、相応のコストがかかるのです。

　また、アジャイルでどんどん機能が増えていき、変化を続ける「CXaaS」において、ユーザーへの細やかなアナウンスや説明のためのリソースを割くのは不可能だと言えます。これが、同じ IT ツールを熟知した人員であれば最小限のコストで行えます。また、ある程度ナレッジのある人物が扱うことを前提として開発できるなら、機能としての自由度は飛躍的に高まるのです。

　このように、エンジニア人材と開発に付随するサポートコストの最適な落としどころとして、「社内エンジニア向けの設定ツール開発」が生まれたと言えます。

## 機動的な開発プロセス

　「CXaaS」では、スピーディーな開発体制が大きな特徴となります。FAE が既存の機能にはない開発が必要だと判断すれば、チャットを通して実現の回避を直接開発エンジニアに確認します。開発エンジニアは即答できるなら即答し、FAE

はその回答を基にタスクを起案します。

　一方で、慎重な判断が求められる機能やサービス保全の観点からMOEの意見や確認が必要だと考えられる機能は、開発会議に議案としてあげられます。開発会議には開発エンジニアやMOE、また依頼元となったFAEが参加し、最適な実現方法とユーザーに確認すべき内容についてディスカッションが行われます。そして、決定した方針について、タスクを起案します。

　この開発エンジニアとのダイレクトなコミュニケーションを通して意思決定がなされるため、「攻めのIT活用」に求められるスピード感ある開発対応を実現します。またこのプロセスにおける意思決定の基準についても、文書主義的な硬直化がないように、実情に沿ったルールの整備が求められます（図6.9.2）。

検討が必要であれば「開発会議」で検討

機能開発依頼

MOE、開発エンジニアに加えて
機能要望をあげた FAE も参加

簡易な内容であれば
可否回答、タスク化

● 図6.9.2　CXaaSにおける開発の流れ

# 第 7 章

# 「CXaaS」への期待

# 7.1 CXaaSが一般化した世界

## ITツールによる課題解決がより身近な世界へ

　「DX」の必要性が声高に叫ばれる中、それでもITツールの導入やレガシー化したシステムからの移行に足踏みしているユーザー企業はいまだに多いという実情があります。その課題はこれまでご紹介した通り日本企業が抱えるIT活用の苦手意識に根差したものだと考えられますが、「CXaaS」によるサービス提供ならユーザー企業に負担を強いることなく新規導入やシステムのリプレイスを相談しやすくなります。

　コムデザインが「CXaaS」で提供するITツールはCTI、つまりコールセンターで用いられるシステムですが、今後、会計やHR分野、CRMの分野など、企業の独自性が求められる分野を中心に「CXaaS」によるサービス提供が期待されます。そして、さまざまな分野で「CXaaS」によるサービス提供が増えていけば、日本企業のITツール活用が一般的になり、かつて日本の強みでもあったボトムアップでの改善活動で生まれる課題解決にも自然とITツールが用いられていくのではないかと考えています。

## 「CXaaS」の普及と共に広がる「攻めのIT活用」

　「DX」をIT活用の観点で考えると、単なるITツールの積極的な導入にとどまらず、発展する企業活動にあわせてITツールも最適化していくことが求められます。これに対して日本のIT活用が構造的に抱えるフットワークの重さが足かせとなり、ITツールに合わせた運用を強いられることは、日本企業に立ちはだかる「DX」の壁と言えるかもしれません。結果として、日本企業の強みであったボトムアップの改善活動にITツールがマッチせず、生産性向上のサイクルにうまく乗れない状況が生まれました。

　それに対して「CXaaS」であれば、現場の意見についてFAEを通してITツールに反映させることができます。これにより、ビジネスと一体となったITソリ

ューションの活用が低コストで実現できるようになります。そしてさまざまな分野のITツールが「CXaaS」で普及すれば、ユーザー企業は単なるITツールの導入にとどまらず、運用に合わせてITツールに手を入れながら活用するための組織を、多くの企業活動において手に入れることができるのです。

## 「CXaaS」に任せる方が合理的

　「DX」の重要性から、大企業を中心とした日本のユーザー企業でも独自にITエンジニアを採用する動きが出ています。しかし中小企業が同じようにしようとした場合、採用したITエンジニアに対して企業として十分な役割を与え続けられるか、イメージできないのではないでしょうか。ITツールは今後さまざまな分野で発展し、専門性を高めていくことが想像されます。それを、ユーザー企業が雇用したITエンジニアがそれぞれなんとかしようと努力するよりも、やはり「CXaaS」のように各分野を熟知したエンジニアに都度相談し、実現させていく方が合理的だと思います。

　そうすることで、「DX」で重要とされるIT人材は今後求められるかわからない汎用的な知識を蓄積するのではなく、特定のITツールに関係する知識を効率的に蓄積し、また実際に提供する機会を得ることで実践力のある人材として活躍できるのではないでしょうか。

## 日本におけるITビジネスのチャンス

　「CXaaS」の一般化により、SaaSを筆頭としたITに関わるビジネス戦略は大きな変化を期待されます。

　現在、クラウドサービスというとアマゾンやグーグル、マイクロソフトに代表されるような大企業が、その資本力を背景として大きなシェアをとっています。またセールスフォースを筆頭に、SaaSにおいても巨人と言えるプレイヤーが各分野に現れ、後発のベンダーにとって一見参入の余地はないように見えます。

　しかし、私はこれらのサービスが万能かというと、そうではないと思います。全ての日本企業がこれらのサービスを導入し、デジタル化が完了したと言い難い現状からもうかがい知ることができます。

　まだまだ日本市場を見据えたITビジネスのチャンスがあると考えています。そして、そのチャンスを掴むために重要なのは、ユーザーの個別のニーズに細や

かに寄り添う価値であり、その価値提供における最適なサービス提供の在り方がこれまで紹介してきた「CXaaS」ではないかと思います。

## 町工場のような専門性の高い技術提供をITサービスで実践

　「CXaaS」のビジネスモデルは、ITツールを通して技術力をより安価に、そして丁寧に、ユーザー企業に提供することが価値となっています。また提供するITツールの分野で多様なユーザーニーズに磨かれながら、その専門性を高め続けることが求められます。そして、効率的な組織運営のもと、小規模な組織でも十分に運営し、高い付加価値の創出が実現できるのです。

　このビジネスモデルは日本の工業を技術で下支えしている町工場に近いものがあります（図7.1.1）。規格品をただ製造するのではなく、専門性や技術力から顧客の独自のニーズに寄り添うことで差別化していくのです。同じように、「CXaaS」によって提供される多様性に富み、顧客ニーズに寄り添うことが可能なサービス群と、大手ITベンダーが提供する全体最適化されたサービス群から、各ユーザー企業の都合に合わせて、それぞれの分野で最適なサービスを選択できるようになることが期待されます。これにより、日本企業にとって、IT活用がこれまでよりも身近になり、生産性の高い社会が実現できるのではないでしょうか。

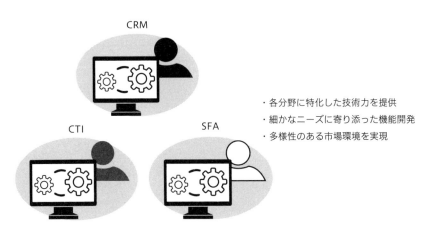

CRM

CTI　　　SFA

・各分野に特化した技術力を提供
・細かなニーズに寄り添った機能開発
・多様性のある市場環境を実現

各分野に特化したサービス展開がなされる

● 図7.1.1　CXaaSと町工場の類似性

## 「CXaaS」と町工場で異なる点

　「CXaaS」を町工場に例えましたが、「CXaaS」によるビジネスは町工場と比較してシンプルで参入しやすいものだと考えられます。理由はサプライチェーンマネジメントの容易さです。ソフトウェア開発では、究極的には原材料は必要ありません。技術力と環境さえあればよいのです。リスクマネジメントの対象は人材とITツールを提供する環境整備に限定されます。また、クラウドによるITツール提供において、販売網の構築は直接販売も選択肢となり、特定の取引先に強く依存することもないでしょう。「CXaaS」の展開は、技術力さえあれば比較的簡単にできるのです。

　戦後、町工場から始まり、急速な発展を遂げた製造業のように、「CXaaS」によって、IT産業でも中小企業が成長の一端を担うことができるようになれば、市場はさらに活性化し、さまざまな分野において専門性の高い企業が生まれることでしょう。そして、本田技研工業が町工場から始まったように、そうした企業の中から、大きなビジネスに発展していく会社が出てくるのではないかと期待します。

　「CXaaS」の普及は多くの日本企業のDXに貢献するだけではなく、大企業による寡占が危惧されつつあるIT産業において、日本の中小企業が活躍できる可能性を提供するのです。

# 7.2 CXaaSが普遍化した世界で求められる役割

## 「CXaaS」の普及がもたらすSIerの変化

　「CXaaS」の一般化により、IT活用を支援する企業の在り方も変わっていくと予想されます。大手ITベンダーを筆頭としたSIerが担っていたユーザーニーズへの最適化を目的とした開発や構築に関する役割は、各「CXaaS」ベンダーに移管されると予測されます。もちろん、世の中のITツールの提供方法が「CXaaS」のみになることはないでしょう。これまでの請負開発やSaaS、そして「CXaaS」といった、いくつものシステム提供の在り方に適合しながら、それぞれのシステム提供において果たすべき役割を明確にしていくことが期待されます。

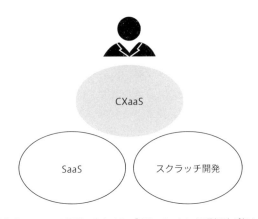

提案するシステム提供の在り方に「CXaaS」という選択肢が加わる

●図7.2.1　CXaaSが普遍化した場合のIT市場のイメージ

## ユーザーとCXaaSのコミュニケーションの中継役

　では、「CXaaS」で提供されるシステムをユーザー企業に提案するにあたり、SIerに求められる役割は何でしょうか？ 役割の一つとしては、「CXaaS」ベンダ

ーとユーザー企業との間の情報格差を埋め合わせる中継役が考えられます。「CXaaS」ベンダーは自社で提供するITツールについて熟知しており、導入や開発にあたり必要な情報をFAEが具体的にヒアリングできます。それに対してユーザー企業が応えられれば問題ありませんが、ネットワーク設計やその他システムとの兼ね合いをユーザー企業の担当者が詳細に把握し、回答することが難しい場合も当然あります。このような状況で、ユーザー企業の情報を把握し、「CXaaS」ベンダーに提供する手助けの役割が必要になると予想され、それこそがまさに「CXaaS」提供におけるSIerの役割となります（図7.2.2）。

　一方で、「CXaaS」の開発や構築作業については、「CXaaS」ベンダーが担うため、ユーザー負担としてはそれらのコストをSIerに支払う必要性はなくなり、結果的に「CXaaS」の強みである「攻めのIT活用」を実現する上で重要な、極力コストを要しない柔軟なエンジニアサポートを享受することが期待できます。

● 図7.2.2　中継役としてのSIerのイメージ

## ウォーターフォール型のプロジェクト進行をサポート

　「CXaaS」が「攻めのIT活用」を重視したサービス提供体制であることはこれまで紹介した通りです。それに対して、ユーザー企業として「守りのIT活用」に見られる、ウォーターフォール型のプロジェクト進行に対するニーズが完全になくなることはないでしょう。しっかりとした計画に則り瑕疵のないシステム開発を望むユーザーに対して、SIerが従来提供してきたスキームに当てはめてユーザー企業に「守りのIT活用」で求められる役務を提供するという役割は、この先も求められるはずです。SIerの手によって仕様書をしっかりと作成し、

「CXaaS」ベンダーが作成したアプリケーションをしっかりとテストして評価した上で、提供していくのです（図7.2.3）。

この体制で注意が必要なのは、これまで見てきたように「CXaaS」がそのやり方に最適化されたビジネスモデルではないという点です。従来の下請け構造に見られる開発ベンダーと同様の働き方をSIerが「CXaaS」ベンダーに期待した場合、大きな歪みが生じることは明らかです。そういった意味でも、「CXaaS」ベンダーの体制を十分に理解した上で、ユーザー企業が求める「守りのIT活用」的なアプローチを実現する調整能力が求められます。

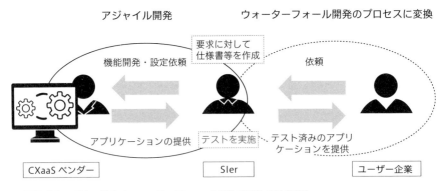

● 図7.2.3　CXaaSをウォーターフォール型に変換する役割

## 複数のソリューションを統合的に提案

「CXaaS」ベンダーの基本戦略は一つの分野に深く根差していくことです。専門外の分野については、参考程度のアドバイスしかできません。現在のシステム活用においては、複数のITツールを機能連係させて統合的に利用するのが一般的になっています。このようなシステム活用が一般的と考えると、複数のソリューションを統合的に提案する立場としてSIerは価値ある存在と言えます（図7.2.4）。

ユーザーニーズに
合わせ、適切なシステム
を組み合わせて提案

幅広いITツールの
知見が求められる

| CXaaSベンダー | SIer | ユーザー企業 |

● 図7.2.4　複合サービスを提案するSIer

　専門性を追求する「CXaaS」ベンダーと比較して、さまざまな分野における多様なニーズに対して分野の垣根を越えて最適なソリューション提案が可能なSIerの知識と経験は、大きな価値となるのです。

## 理想は各サービスの設定作業は行わないFAE

　「CXaaS」が一般化した場合、SIerに求められる開発や運用に関する役割は「CXaaS」ベンダーに移管され、コンサルタントとしての役割の比重が高まるでしょう。このコンサルタントとしての立場で「CXaaS」を提案する場合、FAEと同程度の知識と感覚が備わっていることが理想的です。

　例えば、開発力を過少に見積もればユーザーへの提案の幅は狭まり、魅力的な提案はできないでしょう。逆に、開発力を考慮することなく、無理な提案をすれば、プロジェクトの進行においてハレーションが発生します。パートナー企業としてのSIerを考えた場合、その担当者は「設定開発作業は行わないFAE」と言える知識を持っていることが望ましいと言えます。

## CXaaSの普及による下請け構造からの脱却

　「CXaaS」がさまざまな分野に確立されると、従来の請負開発を伴うシステム開発は減少していくことが予想されます。そして、システム開発における下請け構造も徐々に減少していくことが考えられます。SIerの役割を担うITベンダーがユーザーとの折衝を行い、プロジェクトをマネジメントする中で、「CXaaS」ベンダーは各専門分野のITツールの提供および開発をします。この際の「CXaaS」ベンダーの関係はフラットで並列的です。自社でシステム開発を行わないITベンダーは、各「CXaaS」ベンダーへの依頼内容を調整する役割を担います。下

請け構造に見られた労働力の提供ではなく、ITツールを含むサービスとして「CXaaS」ベンダーから提供されます。

　これにより、指揮命令系統に関与することはなく、各サービスのハブとしての立ち回りが求められます。日本のDXを阻む要因としてあげられていたIT業界の下請け構造が、「CXaaS」の普及によって改善していくことが期待されます。

　そして、下請け構造の中で付加価値の低い開発作業を強いられていた下請けベンダーも、「CXaaS」ベンダーとして自立することで、より生産性の高い事業運営を行える可能性を秘めていると言えます。その結果として日本におけるITエンジニアの待遇の改善など、日本のIT産業を盛り上げるために必要な地盤が整っていくのです（図7.2.5）。

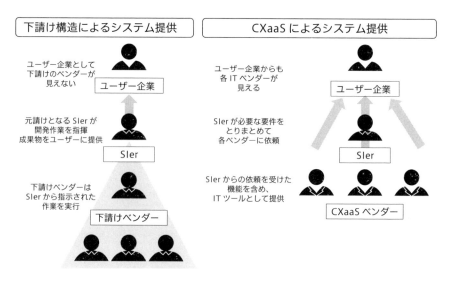

●図7.2.5　CXaaSによるシステム提供の変化のイメージ

# 7.3　CXaaS活用に求められるユーザー企業の変化

## 「お客様」から「パートナー」へ

　「CXaaS」ベンダーとの取引は、ユーザー企業にも発想の転換を求めます。「CXaaS」ベンダーと契約すれば、そのサービスに関しては専門家がサポートする形になります。ユーザー企業としては、「CXaaS」ベンダー各社のITツールの導入と同時に、頼りになる専門家を迎え入れることになるのです。そして、その専門家たちとチームとして協力しながら、業務の効率化や付加価値の創出など、いわゆるDX発想でのIT活用と組織運営を行うことが求められます（図7.3.1）。

●図7.3.1　「お客様」と「パートナー」の関係

　この時に、やはり理想的なのは「攻めのIT活用」による試行錯誤のプロセスを繰り返すことです。このプロセスをうまく回すために、「CXaaS」ベンダーとの関係が重要になります。端的に言えば、お客様発想から脱却し、パートナーとしてFAEと付き合うことが必要になります。お客様発想と表現しているのは従来のウォーターフォール開発などで見られた、ITベンダーに任せきりでよしなにやることを期待する考え方です。よしなに、ということであればトラブルを極力避け、保守的な提案が求められます。また変化はトラブルの種となり、できるだけそのまま使い続けることが理想的になります。

　一方で、「攻めのIT活用」に見られるアプローチの特徴である試行錯誤には、

当然失敗するリスクがあります。しかし、その失敗を都度修正しながら、理想的な状態へと進んでいく、そのような困難なプロセスをたどる上でのパートナーとしての理解がユーザー企業に求められるのです。

## 欲しいものを考え続け、伝える力

「CXaaS」で提供されたITツールを利用する上で、そのポテンシャルを100パーセント活かすのであれば、常に最善を目指す姿勢が求められるでしょう。業務における些細な不満や気付き、また劇的な改善が期待できるような課題を常にFAEと共有しながら最適な提案を求め続けることで、「CXaaS」が持つ価値は最大化され、ユーザー企業にとって「攻めのIT活用」が実現できる状態となります。

このようなベストな状況を目指す上で、ユーザー企業の担当者は欲しいものを考え続け、その解決策をFAEとのコミュニケーションの中で、合理的な機能として実現を求めることが必要になります。

## 合理的な提案を受け入れる柔軟性

「CXaaS」はユーザーニーズに寄り添うことを第一と考えます。一方で、ユーザーの言いなりになんでも開発するのではなく、フォードの速い馬に見られたように、ユーザーが欲しいものに対して、そのニーズを理解し、実現可能な合理的な解決策を提示することがFAEの役割となります。

対して、ユーザー企業に求められるのはその提案に対して、合理性で判断し、柔軟に受け入れられる発想です。馬が欲しいと言い続けても、解決にはなりません。自動車を受け入れて、使ってみる柔軟さが求められます。

## 各ソリューションのハブとなるコミュニケーション力

「CXaaS」が一般化すれば、SIerなどの支援に頼ることなく、ユーザー企業のみでITツールの活用を主導することも可能です。その場合、現在のIT活用で見られる複数システムの並行利用を想定し、それぞれの分野の役割を理解し、適切に「CXaaS」ベンダーに依頼することが求められます（図7.3.2）。

その際、求められるのはFAEとのコミュニケーション能力と合理的な判断力です。「CXaaS」で提供される機能において、最初から正確にその担当分野まで

理解している必要はありません。まずは、考えられるITツールのFAEに相談してみれば、自社で提供する範囲の内容であれば回答し、そうでなければ該当する分野を教えてくれるはずです。このようなやりとりを通して、徐々に全体像を理解していけばよいのです。そして、各「CXaaS」の専門家であるFAEに頼りながら、理想的なシステムの組み合わせを検討していきます。

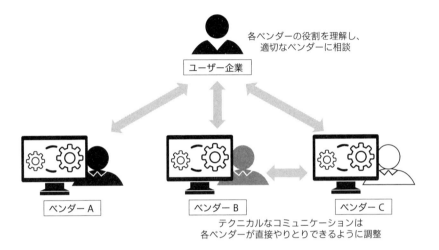

各ベンダーの役割を理解し、
適切なベンダーに相談

ユーザー企業

ベンダー A　　　ベンダー B　　　ベンダー C

テクニカルなコミュニケーションは
各ベンダーが直接やりとりできるように調整

● 図7.3.2　ソリューションハブとしての役割

　また時には、機能連係において関係する「CXaaS」ベンダーの間で仲介する役割が求められるかもしれません。その場合も、開発に関わるテクニカルなコミュニケーションは各「CXaaS」ベンダー同士で解決を求め、両社においてユーザー企業としての判断が求められる内容について回答していけばプロジェクトは前進していきます。

　このように、ITに関する専門知識がなかったとしても、コミュニケーション能力と合理的な判断さえできれば、究極的にはSIerの手を借りなくてもITを活用できる体制は作れるのです。

# 7.4 AI時代とCXaaS

## さまざまな分野での活躍が期待されるAIソリューション

「CXaaS」の普及が日本のIT産業の活性化につながるのではないかと考える理由の一つに、現在注目され、さまざまな利用方法が試行錯誤されているAI技術との親和性の高さがあります。

随分前から注目されてきたAI技術ですが、身近に恩恵を受けているという人はそれほど多くはないのではないでしょうか。それもそのはずで、映画や小説で見られるような人間の代替となる、万能で汎用的なAIはまだ登場しておらず、範囲が限定され、特定の能力に特化した領域において効果を発揮するAIを中心として研究、開発が進んでいるからです。さまざまなアルゴリズム解析や画像認識、自然言語処理など多くの分野で、機械学習による性能向上を図るアプローチがとられていることが一般的です。各分野のAI技術について基礎研究が進みながら、徐々に商業利用がされつつあるのが現状であると言えます。

AI活用により経済効果の期待感は高く（図7.4.1 [*1]）、例えば中小企業における経済効果推計では2025年までに11兆円の経済効果が予測されています。今後デジタル活用の文脈の中で、主要なテーマになることが予想されます。最近では、いくつかの単語を入力するとイラストを自動生成するAIサービスが注目を集めましたが、AIに関する基礎技術を組み合わせて特定の機能を提供するITツールとしてアウトプットする段階にようやくたどり着いたのだと思います。

---

[*1] 「令和2年度戦略的基盤技術高度化・連携支援事業（中小企業のＡＩ活用促進に関する調査事業）　最終報告書 2021年3月」経済産業省、p. 28
https://www.meti.go.jp//policy/it_policy/jinzai/2020.pdf

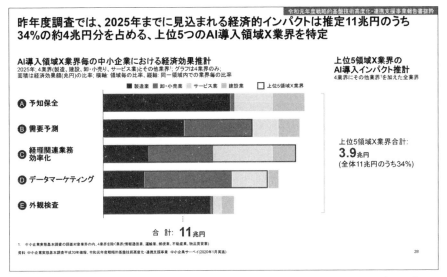

**昨年度調査では、2025年までに見込まれる経済的インパクトは推定11兆円のうち34%の約4兆円分を占める、上位5つのAI導入領域X業界を特定**

**AI導入領域X業界毎の中小企業における経済効果推計**
2025年; 4業界(製造、建設、卸・小売り、サービス業)とその他業界[1]; グラフは4業界のみ;
面積は経済効果額(兆円)の比率; 横軸: 領域毎の比率、縦軸: 同一領域内での業界毎の比率

■ 製造業　■ 卸・小売業　■ サービス業　■ 建設業　□ 上位5領域X業界

Ⓐ 予知保全

Ⓑ 需要予測

Ⓒ 経理関連業務効率化

Ⓓ データマーケティング

Ⓔ 外観検査

合　計: **11**兆円

**上位5領域X業界の AI導入インパクト推計**
4業界にその他業界[1]を加えた全業界

上位5領域X業界合計:
**3.9**兆円
(全体11兆円のうち34%)

1. 中小企業実態基本調査の調査対象業務の内、4業界を除く業界(情報通信業、運輸業、娯楽等、不動産業、物品賃貸業)
資料: 中小企業実態基本調査平成30年確報、令和元年度戦略的基盤技術高度化・連携支援事業 中小企業サーベイ(2020年1月実施)

28

出典)経済産業省「中小企業実態基本調査平成30年確報、本調査中小企業サーベイ(2020年1月実施)」

● 図7.4.1　ＡＩ導入インパクト推計

# ユーザーニーズに実体験を通してチューニングしていく

　徐々に商業的なITツールとして展開されつつあるAI技術ですが、特定の分野においてもまだまだ万能であるとは言い難い状況です。特にビジネスでの利用を想定すると、AIと聞いてもいまいち信じきれないユーザー企業も多いのではないでしょうか。その原因の一つに、「本当に自分たちに最適化された状態で使えるのか?」という疑問があると思います。

　例えば、「プレゼンテーションや提案先との日々のコミュニケーションを入力することで、あなたの営業力をAIが自動評価します」、というAIサービスがあったとします。これまで定性的な評価に頼っていた営業活動が、定量的で公平な評価をくだせることは大きなメリットです。しかし、このような提案を受けたときに、一般的に他社と自社では環境や商材、商談内容も異なるのに本当に適切な評価となるのか心配にならないでしょうか?

## ■ AIが使われる技術になるために

　AI技術が発達していけば、将来的には自信を持って提案できるサービスが登

場することも期待できますが、現段階では各ユーザー企業の担当者がくだす評価とAIによる評価の感覚的なずれがなくなるまで、AIモデルをチューニングしていかなければ、自信を持って利用できる状態にはならないと思います。そして、そのチューニングを何度も経験していく中で、汎用的に利用できる仕組みが生まれると想像できます。

AI基礎研究は大手IT企業だけではなく大学でも盛んに行われ、論文なども次々に発表されています。現在、求められているのは、基礎研究の結果をITツールとしてアウトプットする存在ではないでしょうか。そして、ITツールの提供にあたってチューニング作業まで含んだサービス提供を想定すると、SaaSとして最大公約数的なニーズへのアプローチでは不十分であり、「CXaaS」として展開した方が合理的と言えるのではないでしょうか。

「CXaaS」により、細かいユーザーニーズが満たされる実戦的なAIモデルが次々生まれていく環境が当たり前になることは、IT後進国と言われる日本にとって逆転のチャンスになりうると考えています。


## 継続的な価値提供のカタチを考える必要性

ビジネスにおいて、AIを試験的に導入する取り組みはさまざまな分野で耳にします。いわゆる、PoC（プルーフ・オブ・コンセプト）としての導入です。そして、PoCで終わってしまうこともよく聞くのが実情です。PoCであっても最低限の収益をAI製品ベンダー側で確保できなければならず、またユーザー企業側も本当に利用できるかわからない仕組みに多額のコストを支払うことはためらわれるため、実用ステップへと進むことなく、案件が立ち消えてしまうのではないかと思います。

この状況を打開するヒントが「CXaaS」にはあると思います。ユーザーにとって許容しやすいコストを提示し、継続的な利用を前提として、AI製品ベンダーとしても必死に継続利用してもらえるよう、試行錯誤に付き合っていくのです。そうした経験をいくつか経ることで、本当にユーザー企業にとってなくてはならないITツールとしての在り方が具体化され、AIが具体的な価値を持つことにつながると考えています。

## 多様なニーズで磨かれながら立ち上がるモデルを創出

　「CXaaS」は短期的に大きな収益を期待するビジネスモデルではありません。苦労がすぐさま大きな収益につながることはないのです。一方で、サブスク型ならではのリーズナブルな価格設定は、多くのユーザーから問い合わせを受ける機会に恵まれるはずです。1本のホームランを目指すのではなく、できるだけ多く打席に立って、さまざまなニーズに対するヒットを繰り返しながら、サービスモデルとして立ち上がっていくのです。

　この特徴は、基礎技術とニーズのマッチングの試行錯誤が求められるAI技術を活用したビジネスの確立において、「CXaaS」が一つの成長戦略になりうるのではないかと私は考えています。コムデザインのコミュニケーションプラットフォームに関する構想も、基礎技術があっても具体的にどういう形でユーザーに提供されていくべきなのか手探りの状態でした。しかし、『CT-e1/SaaS』として「CXaaS」による提供を通して、ユーザーのニーズを一つ一つ実現し、その実現を通して生まれた機能が結果的に市場に受け入れられる高機能なITツールとして成長するに至っています。

　同じように、基礎技術をベースとした展開が求められるAI技術を利用したITツールのマネタイズは、「CXaaS」のアプローチが有効に働くと考えます。

# 7.5 日本発のITサービス連合と ITサービスの巨人

## 大手SaaSはインテグレートされた強みを持つ

　「CXaaS」ベンダーが町工場のように特定分野の専門性を高め、細やかなユーザーニーズに寄り添うことを価値とするのに対して、海外サービスを中心とした大手のSaaSベンダーはさまざまな分野に多角的にサービスを展開し、統合された仕組みの中での価値提供を強みとしたサービスが目立ちます。資本力に勝るこれらのサービスとどのようにすみ分けるのかは、「CXaaS」ベンダーにとって大きなテーマとなります。

　例えば、セールスフォース（Salesforce）ではCRM（顧客管理システム）やSFA（営業支援システム）などを中心にサービス展開を行いながら、現在はSalesforce Customer 360として、顧客接点として求められるITツールを多角的に提供しています。さまざまな分野のITツールを機能連係させながら利用していくことが一般的である現在のIT活用において、このようなサービス展開は統一感のある利用環境提供につながり、大きなメリットがあると言えます。

## 全体最適化されたサービス展開の強みと弱み

　では、全ての会社において、この多角的で統一的なITツールの提供が受け入れられているかといえば、そうとは言えないのが実情です。提供されるITツールの世界観をユーザー企業として全面的に受け入れられれば問題ありませんが、ユーザー企業が独自に発展させてきた企業文化とのミスマッチ、また導入にあたってのコンフリクトが発生する背景についてはこれまで述べてきた通りです。

　このように、全体最適化された多角的なITツールの提供は非常に魅力的ですが、一方で各分野に求められる部分最適は実現が難しくなり、結果としてその歪みが積み重なれば、手放しに「最適なITツールの提供方法」とは言えないでしょう。この傾向から、多角的なITツールを提供するセールスフォースでも、ユーザーニーズを満たす外部サービスとの連携を、積極的に推奨しています。

インテグレートされたサービスの魅力と個別分野における部分最適に特化したサービスは共存可能であると考えられます。

## 「CXaaS」と洗練されたSaaSの使い分け

　ここまで述べてきたように、さまざまな分野においてインテグレートされた強みを持つサービスと、「CXaaS」に見られる特定分野において細かなニーズを満たすサービスを使い分けていくことがユーザー企業には求められます。

　どちらを選ぶかはユーザー企業の事情によるのは当然ですが、一つの考え方として、ビジネスプロセスの抜本的な見直しを伴うITツール導入を目指すのであれば、大手のSaaSベンダーが提供するサービスが提案する価値に従ってビジネスプロセス側をフィットさせていくアプローチは有効だと言えます。一方で、既存のビジネスプロセスを変化させることによるハレーションが考えられる場合、ユーザーニーズにフィットさせるシステムの在り方、すなわち「CXaaS」が得意とするアプローチが適しているのではないでしょうか。

　また観点として、DXに見られる組織とITツールの継続的な改善において、全体最適化されたSaaSを利用するならば、原則、そのSaaSが提示する世界観に従って利用し、発展していくことが求められます。一方で、「CXaaS」によるITツール提供はユーザー企業が目指す世界観に合わせる形となり、DXにおける発展の方向性の自由度に違いがあることは考慮されるべきと言えます（図7.5.1）。

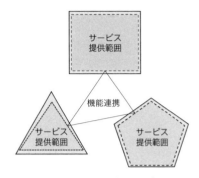

多角的な分野へのサービス展開

サービス提供範囲

さまざまな分野の機能を統合的に提供
個別最適には限界がある

専門分野に特化したサービス展開

サービス
提供範囲

機能連携

サービス
提供範囲

サービス
提供範囲

個別の分野に特化してユーザーニーズに個別最適
機能連携させて利用する

● 図7.5.1　多角的なサービス提供が強みのSaaSとCXaaSの比較

## モノづくりの国、日本の再出発の契機になるのではないか？

　近年のIT業界における海外サービスの勢いはB2C、B2Bを問わず実感できる
ものだと思います。しかし、国産のサービスは影が薄いように感じ、IT後進国
と言われる日本の状況を感じさせます。

　では、これからITサービスの巨人となった海外サービスに対抗できるサービ
スを、まったく同じアプローチで作り上げることがこの状況の打開策につながる
かといえば、そうではないと考えています。巨人を育てることも重要かもしれま
せんが、巨人たちでは実現できない細かなニーズを町工場に例えられる専門性の
ある小さな企業が実現し、埋め合わせる活動を続けることで、巨人たちにはない
魅力的なIT産業を創出できるのではないかと思うのです。

　そして、その実現は巨人を生み出すよりもはるかに現実的なビジネスとして、
「CXaaS」で実現できます。「CXaaS」の普及は、かつて製造業において急成長
を遂げ、モノづくりの国として中小企業も誇りを持って活躍していた時代を、IT
産業において取り戻す一つのアイディアではないかと考えています。

# 7.6 プロフェッショナルとして 長く働ける社会

## CXaaSの提供は雇用の問題についても解決する

　企業の社会的責任は、企業の価値を考える際に重要になります。最近SDGsが注目を集めていますが、企業の社会的な責任において最も重要な役割は雇用の安定だと考えます。「CXaaS」は従業員にとって終身雇用を実現する方策の一つであり、その普及はITビジネスに従事する人材にとって、安定した労働環境を社会的に提供することに寄与するのではないかと期待しています。

　早期リタイヤや役職定年という形で、これまで会社に貢献してきた世代の新陳代謝を求める風潮が存在します。一方で社会的には少子高齢化の影響から、できるだけ長く労働することが推奨され、2021年には「高年齢者雇用安定法（高年齢者等の雇用の安定等に関する法律)」により、70歳までの雇用継続に関する努力義務が新設されるに至っています。企業活動の実情と社会的な要請のミスマッチは、今後のより良い社会を目指す上で重要な課題となり、微力ではありますが6.7で述べた通り、「CXaaS」はこのミスマッチを構造的に解決するアイディアとなるのではないかと思うのです。

## 専門化とヒエラルキー型組織の歪み

　事業や社会情勢に応じて、求められる人材は変化していきます。事業としての成長期に売り上げを上げたい、シェアを拡大したいと考えれば、営業の人材をたくさん雇って売り上げを伸ばしていくことは、基本的な考え方でしょう。しかし、成長期がいつまでも続くことはありません。安定期に差し掛かれば、求められる営業体制の規模は縮小し、一方で既存ユーザーのサポートなど、従来は求められなかった役割が必要となるかもしれません。そうすると、単純に人手が不要になるばかりか、成長期に求められたスキルと安定期に求められたスキルはまったく異なり、成長期には評価され高い報酬を得ていた人材が、安定期にはコストが高くパフォーマンスの低い人材へと変貌してしまうのです。

221

この現象への対策が、契約社員の利用や早期退職、またインセンティブや賞与の比率を高めた給与設計と言えます。

　また、多くの企業で見られるヒエラルキー型組織と年功制は矛盾を抱えていると言えます（図7.6.1）。一般社員と部長を比較したときに、年収が高いのは部長です。ヒエラルキー型組織を前提としたときに、昇進＝昇給になっている会社は多いと思います。そして、年齢に合わせて慣例的に管理職として昇級を重ねていきます。ここで問題になるのは、ポストが限られているということです。かつてのように、企業の成長と一体で考えることができれば、大きくなる組織に合わせて管理職が必要になり、ポストを用意できます。一方で、組織の拡大が伴わなければ、年功制に合わせたポストは十分に提供できなくなり、若手がいつまでも期待される昇給にいたらないことにつながります。この現象への対策が役職定年であると言えます。

　役職定年も早期退職も、企業活動としてみれば合理性があると言えます。しかし、従業員からすれば雇用の不安を感じるのではないでしょうか。特に、若い世代にとって明確なライフプランを描けないことは、現在の日本を覆う閉塞感にもつながっているように思います。

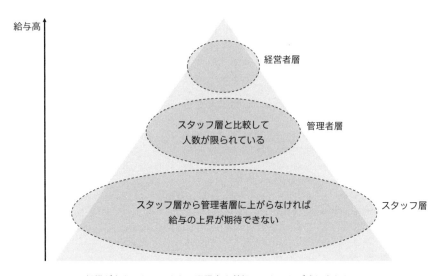

組織が大きくなる、または退職者を前提にしなければ成り立たない

● 図7.6.1　ヒエラルキー組織とそれに最適化された給与体系の歪み

## マルチロールと役職によらない年功制

　事業、社会情勢の変化に応じた人材ニーズの変容にどう対応するのかは、多く
の企業で課題になっています。注目されるテーマの一つに、社員の再教育、リス
キリングがあります。場合によっては、これまでのキャリアとは関係の薄い業務
への転向もあるようです。今後、これらの取り組みの成果が明らかになってくる
と思いますが、これまでの職務から大きく変化が求められる場合、相当な苦労が
予想されます。相応の教育環境や仕組みが用意されなければ、非常に難しい取り
組みであると言えるでしょう。しかし、AIなどの技術の進歩により、ビジネス
の環境の変化が激しくなっていくことを考えると、40年以上続く社会人生活に
おいて、単一の業務に従事し続けるということは現実的ではないのかもしれませ
ん。

　「CXaaS」の組織運営は、能力というよりも役割で区別された組織で成立して
います。FAEを筆頭に営業、技術支援、カスタマーサクセスなど幅広い業務に
対応するマルチロールが基本です。提供するITツールに関する技術的な知識は
共通のスキルとして共有しているため、各サークルへの移動があったとしても、
適応はそれほど困難なものではないでしょう。

　このような組織設計を行っておくことで、事業、社会情勢の変化に応じた人材
ニーズの変容に対して柔軟性を担保し、多くの人材が末永く会社でパフォーマン
スを発揮し続ける企業運営を実現できます。

　また年功制も、昇格を前提とした昇給ではありません。ポストにつくことがキ
ャリアの成功ではなく、長く働き続けてくれるメンバーに報いる給与設計をする
ことで、短期的なアウトプットではなく、長期にわたる安定したパフォーマンス
を期待するのです。その結果、従業員が安心して長く勤められる環境の提供につ
ながるのです。


## AIが台頭しても輝く、FAEによるコミュニケーションの価値

　未来の雇用に関する不安の中に、AIの発達によって多くの仕事が奪われるの
ではないか？　という推測があります。今後、単純な事務作業などはITの力でど
んどん省力化されていき、最終的にはAIで自己完結するような時代が来るかも
しれません。この傾向はIT活用においても見られることが予測されます。人手
が必要だった設定開発作業が、AIに指示するだけで完了する未来がやって来る

かもしれません。

　こうした未来に対しても、「CXaaS」が持つ価値は失われないと考えています。「CXaaS」における価値は、ITツールとその活用を助けるFAEを筆頭としたパートナーとしての人的なサポートです。言い換えればパートナーとのコミュニケーションを通して、問題解決を図ることが価値であると言えます。この価値は、AIが人間と同等のコミュニケーション能力を獲得するまでは失われず、当面の間は「CXaaS」はビジネスとして成り立つのではないかと考えられます。

## ライフワークとして続けられる仕事

　マルチロール型の組織運営、そしてピラミッド型ではないフラットな組織運営により、「CXaaS」組織での従業員は働ける限り役割を担って勤務できます。企業運営において、何よりも重要な要素は収益です。「CXaaS」はサブスク型サービス提供により、安定した収益基盤を得られることはご紹介した通りです。ユーザー企業にとってB2Bのシステム移行の難しさから、一度業務に取り込まれれば、おいそれと解約されるものではありません。しかし、当然サービスにもライフサイクルは存在し、いつまでも変わらずにサービスを維持できるとは限らないでしょう。ある時期を境に、新規のユーザーの流入が減少していき、既存顧客を維持するフェーズを経て、段階的にライセンス数が減少していく流れで、単一のITツールとしてのライフサイクルは終息していくはずです。

　当然、経営陣は「CXaaS」で得た資金を元に、第2、第3の「CXaaS」サービスを生み出すなど、別の事業への展開を図り、ポートフォリオを組織することが必要です。一方で、ゆるやかに終息に向かうサービスを、既存のメンバーで引退まで面倒を見るという選択肢も場合によっては検討できます。ライセンスの減少に合わせてメンバーも引退していき、最後には小さく終わるというプランもあり得るのです。このようなプランを想定した場合、残るメンバーはマルチロールで対応することが望まれます。黎明期で見られたような混沌はありませんが、自己完結したメンバー同士が多様な役割をこなしながら、ゆっくりと引退へと向かっていくのです。

　このように、従業員にライフワークを提供し、70歳まで慣れ親しんだ仕事を続けられる可能性を与えるビジネスモデルが「CXaaS」であると言えます。

# 7.7 「いい人」であることが価値となる

## 「CXaaS」ベンダー間の競争

　「CXaaS」ベンダーが増えていけば、同じ分野において「CXaaS」ベンダー同士の競争が起こると推測されます。SaaSで提供される従来のITツールであれば、提供する機能などで差別化を図ります。しかし「CXaaS」では、機能がなければ作るというアプローチになるため、単純なITツールの機能比較にとどまらずに検討がなされるのではないでしょうか。

　そういった競争になった場合、ユーザーニーズに対してより寄り添った機能開発ができる体制が整っているかが比較対象になるでしょう。ユーザー企業との意思疎通において、ニーズをうまく聞き出し、適切に提案できるFAEのコミュニケーション能力、それを実現する開発エンジニアの技術力、高い可用性を維持するMOEの体制などの、ITツールの提供を支える運用体制が評価の対象となります。また価格面においても、ユーザー企業に受け入れられやすい適正価格へと集約していくと考えられます。

　このような傾向は、ユーザー企業にとっては、自分たちのパートナーとして適切な「CXaaS」ベンダーを選択する上で、好ましいものであると言えます。

## 専門性の高さ＝ユーザー数

　では、「CXaaS」を運営する体制として評価する観点として求められるものは何になるでしょうか？　一つは、その分野における専門性の高さがあげられます。専門性の高さは、その「CXaaS」ベンダーがこれまでどれだけのユーザーの思いを形にしてきたかが重要になります。さまざまなユーザーの意見を受けて開発し続ける中で、組織として成熟していくのが「CXaaS」です。ユーザー企業にとって具体的に組織体制を評価することは難しいですが、採用実績の多さは参考になる情報であると言えます。

　また経験豊富なFAEかどうかは、コミュニケーションの中でも感じ取れるは

ずです。課題について相談した際に、適切な提案を受けられたかどうかで判断が
可能です。営業的にひたすらITツールの説明に終始するようであれば、注意が
必要であると言えるでしょう。

　専門性を高めるにはたくさんのユーザーを獲得しなければならず、一方で効率
の良い簡易な案件だけを選んでいては専門性を高めることできません。手離れの
よい案件を効率よく獲得することに特化していくのであれば、結局はSaaSと変
わらなくなってしまうのです。そうなれば、差別化のポイントをますます喪失し
てしまいます。

## 多様なベンダーが活躍する寡占が発生しづらい市場

　「CXaaS」で、採用実績が重要であるとすると、先行ベンダーが優位に思えます。
一方で、「CXaaS」組織の初期段階において、ベンダーが対応できるユーザー数
には限りがあります。ユーザーの高度な要求に対してやむを得ず断る状況も発生
するはずです。このような状況を想定した場合、複数の「CXaaS」ベンダーが
存在することは、ユーザーにとってメリットがあると言えます。そして、あるベ
ンダーが断った高度な要求に対して、粘り強く真摯にこなす別のベンダーが現れ、
専門性を高める機会を得ることになります。

　「CXaaS」は、売り逃げるということが構造上許されないビジネスモデルです。
だからこそ、真摯な対応が約束できる状態でのみユーザーに受け入れられ、状態
に無理があればビジネスモデルとしては破綻します。良くも悪くも、身の丈にあ
った売り上げを上げることしかできないのです。このことから、特定のサービス
による寡占は生まれづらく、市場としては健全な競争が期待できると言えます。

## 組織的に成熟できる文化

　「CXaaS」において重要な、専門性の高さを効率よく高めていくにはどうすれ
ばいいでしょうか？ 最も簡単な方法は、依頼されたことを断らずに実現し続け
ることです。そのために求められるのが、組織を成熟させ対応できるユーザー企
業の数を増やしていくことだと思います。

　特定の人員の馬力に頼っているうちは、すぐに限界を迎えてしまうでしょう。
メンバーが一丸となって、運用改善のアイディアを出しながら、組織として効率
化を図り、成熟していくことが求められます。組織の成熟を目指す上で、協調性

あるメンバーでロスなく運営されていることが重要です。退職者が相次ぐ過酷な状況では効率化などとは言っていられないからです。そのためにも「CXaaS」ベンダーが競争力を獲得するには、社内の雰囲気を良い状態に保ちながら、組織的に改善を目指す文化の醸成が必要になります。

## 「いい人」が活躍する社会へ

　「CXaaS」ベンダーとしての競争を見てきましたが、結局は「CXaaS」組織に求められる要素に集約されるのではないかと私は考えています。つまり、「いい人」であることが価値となるのです。ユーザー企業に親身になって手を差し伸べ、たとえ面倒に思えても真摯に向き合い、一緒に働くメンバーを尊重しながら、常によくなることを目指す。そんな、「いい人」であることこそが「CXaaS」ベンダーに求められる要素であり、競争力につながります。

　そして、そうした企業が増えることで、今とは違う価値観が生まれてくるのではないかと期待しています。実力至上主義や弱肉強食の資本主義では見過ごされてきた才能が、人のために活躍できる社会につながっていくのではないかと考えています。

# 索引

## 著者プロフィール

寺尾 望 (てらお のぞみ)

1988年、三重県鈴鹿市出身。

2012年、上智大学を卒業後、ソフトバンク株式会社に入社。

2017年、クラウドCTIとして業界トップクラスのシェアを持つ (本書執筆時点)、株式会社コムデザインに入社。

フィールドアプリケーションエンジニアとして、サービス説明、サポートの傍ら、マーケティング担当としてセミナー等に多数登壇。

サブスクリプション型の定額費用で、ITツールとしての機能だけでなくエンジニアによるパートナー体制も提供するサービスモデルを「CXaaS (シーザース)」と名付け、普及に努める。

| | | |
|---|---|---|
| 企画協力 | | 吉田 浩 |
| | | 川口 友万 |
| | | 潮凪 洋介 |
| 執筆協力 | | 夏野 かおる |
| | | 井村 克也 |
| 装丁 | | 竹内 雄二 |
| 本文デザイン・DTP | | 有限会社ゲイザー |

# CXaaS
シーザース

## 「攻めのＩＴ活用」を実現する新しいクラウドサービスモデル
アイティー

2023年2月20日　初版第1刷発行

| | | |
|---|---|---|
| 著　　　者 | | 寺尾 望 (てらお のぞみ) |
| 発 行 人 | | 佐々木 幹夫 |
| 発 行 所 | | 株式会社 翔泳社 (https://www.shoeisha.co.jp) |
| 印　　　刷 | | 昭和情報プロセス株式会社 |
| 製　　　本 | | 株式会社国宝社 |

ISBN978-4-7981-7785-4　　　　　　　　　　　　　　　　　　Printed in Japan